D0366228

# Brigitta

Dans les steppes hongroises, deux êtres que tout devrait rapprocher vivent retirés chacun sur leurs terres. Elle, Brigitta, mal aimée des siens en raison de son visage ingrat, abandonnée par un époux qu'elle aime, puise dans la terre la force et la noblesse qui font d'elle une femme rayonnante. Lui, le major, a retrouvé la paix de l'âme dans le calme et l'ordre de la campagne après avoir succombé à une passion coupable.

Cependant, Brigitta et le major ont en commun un secret que dans un même élan ils dévoileront à leur ami, le narrateur de cette magnifique histoire. On retrouve dans ce court roman les thèmes chers à Stifter : le rêve d'un monde fondé sur la raison, la beauté et l'ordre divin de la nature que vient troubler cet élément perturbateur et destructeur qu'est la passion.

*Adalbert Stifter (1805-1868) est l'un des prosateurs autrichiens les plus importants du XIX$^e$ siècle. Inspecteur d'académie, féru de pédagogie, il ne vint que tard à la littérature et connut grâce à ses romans une célébrité immédiate. Nietzsche et Thomas Mann le tenaient pour l'un des grands auteurs classiques de langue allemande.*

# Du même auteur

Les Grands Bois
*Gallimard, 1943*

L'Homme sans postérité
*Phebus, 1978*

Le Château des fous
*Aubier, 1979*

Cristal de roche
(Pierres multicolores, I)
*J. Chambon, 1988*

Les Cartons de mon arrière-grand-père
*J. Chambon, 1989*

Tourmaline
(Pierres multicolores, II)
*J. Chambon, 1990*

# Adalbert Stifter

# Brigitta

roman

TRADUIT DE L'ALLEMAND
PAR MARIE-HÉLÈNE CLÉMENT
ET SILKE HASS

Fourbis

TEXTE INTÉGRAL

EN COUVERTURE :
Franz Xaver Winterhalter,
*Portrait de Mademoiselle de Montessier.*

ISBN 2-02-012978-7
(ISBN 2-907374-20-6, 1<sup>re</sup> publication)

© Fourbis, 1990, pour la traduction française

## RANDONNÉE DANS LES STEPPES

Il arrive souvent dans la vie humaine que les choses et les circonstances ne nous apparaissent pas clairement de prime abord, et que nous restions longtemps incapables d'en pénétrer le sens. Elles attirent ainsi notre âme par un certain charme délicieux et plein de mystère. Un visage ingrat nous réserve souvent une beauté intérieure dont cependant nous ne savons dans l'instant déceler la valeur, tandis que les traits de quelqu'un dont tous s'entendent à louer la splendeur, nous paraîtront froids et vides. De la même façon, nous sommes séduits par un être que nous connaissons à peine, mais ses manières, ses mouvements nous plaisent, quand il nous a quittés, nous souffrons de son absence, au point d'en ressentir une vague langueur, presque de l'amour pour lui, en évoquant son souvenir bien des années plus tard : et nous n'arrivons pas à nous sentir à l'aise avec celui dont les talents s'affichent et nous éblouissent, quand bien même sa compagnie nous est familière depuis toujours. Il s'agit sans aucun doute de qualités morales que le cœur devine, et que la raison seule ne peut observer ni mesurer avec justesse et précision. La science de l'âme n'a pas tout éclairé ni tout expliqué, bien des choses lui sont restées étrangères et obscures. Aussi, n'est-il pas exagéré de dire qu'il existe encore un abîme infini et serein où rôdent Dieu et les esprits. L'âme, dans ses instants de ravissement, le survole souvent, la poésie parfois le dévoile d'un innocent geste d'enfant, mais les instruments de mesure de la science ne pourront jamais prétendre y avoir abordé, ni même seulement y avoir mis la main.

J'ai été amené à ces constatations à la suite d'événements dont je fus le témoin sur les terres d'un vieux major, en ce temps de mes très jeunes années où j'avais encore l'humeur vagabonde, et où j'espérais, en laissant mes pas me conduire çà et là à travers le monde, vivre et découvrir Dieu sait quoi.

J'avais fait la connaissance du major au cours d'un voyage, et dès notre première rencontre, il m'avait à plusieurs reprises proposé de venir lui rendre visite dans son pays. J'avais pris cela pour une simple façon de parler, une marque de politesse et d'amabilité comme souvent les voyageurs ont l'usage d'en échanger, et je n'aurais pas accordé plus d'importance à ce fait si deux ans plus tard je n'avais reçu une lettre de lui, dans laquelle il s'inquiétait de ma santé et surtout réitérait l'ancienne invitation à venir le voir et à passer chez lui un été, une année, ou cinq, ou dix ans, ainsi qu'il me plairait, car il avait finalement pris la décision de se fixer en un seul et minuscule point de l'univers, et de ne plus laisser ses pieds fouler d'autre terre que celle de son pays, où il disait à présent avoir trouvé ce qu'il avait cherché en vain de par le monde.

C'était le printemps, j'étais curieux de connaître sa destinée, et comme justement je ne savais où porter mes pas, je résolus de céder à ses prières et de répondre à son invitation.

11

Ses terres se trouvaient dans l'est de la Hongrie. Pendant deux jours j'élaborais des projets sur la meilleure manière de faire ce voyage, le troisième je me retrouvais assis dans la malle-poste qui roulait vers l'Est, imaginant déjà, bien que ne les ayant jamais vus auparavant, des paysages de landes et de forêts, et le huitième jour, je me baladais à travers une Puszta aussi somptueuse que déserte, comme seule la Hongrie peut nous en offrir.

Au début, mon âme tout entière fut saisie par la grandeur du spectacle : l'air caressant vibrait autour de moi à l'infini, la steppe embaumait, et l'éclat de la solitude se glissait partout et par-dessus tout — mais le lendemain et les jours suivants ce fut la même chose, rien de nouveau jamais à l'horizon, strictement rien, seul l'anneau très étroit à l'intérieur duquel le ciel et la terre s'étreignaient, alors mon esprit s'accoutuma, mon œil fut tellement gorgé de néant qu'il succomba, comme s'il était chargé de matière — il rentra en lui-même, et avec les rayons du soleil qui jouaient, les herbes luisaient, de vagues pensées solitaires envahirent mon âme, de vieux souvenirs se frayèrent un chemin sur la lande, et parmi eux, celui de l'homme chez lequel j'avais précisément entrepris de me rendre — dans ce désert, je retrouvais son image et pouvais à loisir exhumer de ma mémoire tous les aspects de sa personne que je connaissais et leur donner une nouvelle fraîcheur.

C'était en Italie du sud, dans un désert presque aussi solennel que celui que je traversais aujourd'hui, que je l'avais rencontré. Bien qu'ayant déjà presque atteint la cinquantaine, il était alors, dans toutes les soirées où on lui faisait fête, le point de mire des regards féminins ; car jamais on n'avait vu un homme aussi beau de corps et de visage, et qui portât cette beauté d'une manière aussi noble. J'entends qu'autour de tous ses mouvements, flottait une grandeur douce, si simple et si triomphante, qu'il lui était arrivé plus d'une fois d'envoûter aussi les hommes. Mais c'est dans le cœur des femmes qu'il avait jadis, à ce que l'on disait, semé le plus grand trouble. On racontait d'assez fabuleuses histoires de conquêtes féminines à son sujet. Avec ce petit travers qui le rendait, paraît-il, d'autant plus dangereux : aucune, fût-elle la plus merveilleuse beauté du monde, n'avait pu se l'attacher plus longtemps qu'il ne le désirait lui-même. Il déployait jusqu'à la fin chacun des talents qui lui avaient gagné tous les cœurs et avaient comblé celui de l'élue des délices de la victoire, puis décidait de partir en voyage, prenait congé et ne revenait jamais. Mais ce petit travers, au lieu de dissuader ces dames, les lui gagnait encore davantage, et il se trouvait toujours quelque vive méridionale pour s'enflammer, et radieuse, lui tomber bientôt dans les bras. Aussi, était-ce particulièrement excitant que l'on ignorât tant ses origines que sa position dans le monde. On ajoutait que son front auréolé de toutes les grâces, portait la marque douloureuse d'un lourd passé — passé d'autant plus fascinant que personne ne le connaissait. Il avait dû être mêlé à des secrets d'Etat, victime d'un mariage malheureux, ou tuer son frère d'un coup de pistolet — et bien d'autres choses encore, du même acabit. Mais ce que tout le monde ne pouvait ignorer, c'est que maintenant il se consacrait surtout aux sciences.

Le jour où je le vis jeter des pierres du haut du Vésuve, puis se diriger vers un nouveau cratère pour observer avec complaisance les volutes de fumée bleue qui s'échappaient faiblement de l'ouverture et des crevasses, je sus immédiatement à qui j'avais affaire, tant j'avais entendu parler de lui. Je m'approchai, marchant sur les cristaux bulbeux de lave jaune et brillante, et l'abordai. Il me répondit volontiers et les mots s'enchaînèrent les uns aux autres. Nous nous trouvions alors dans un désert sombre et terriblement chaotique, paraissant d'autant plus aride qu'il s'étendait sous le plus délicieux ciel du sud, d'un bleu profond, vers lequel s'élevaient délicatement de minces nuages de fumée. La conversation se prolongea longtemps, après quoi chacun séparément entreprit la descente de la montagne.

Par la suite, nous eûmes encore bien souvent l'occasion de nous revoir, puis de nous rendre visite mutuellement, pour finalement devenir quasi inséparables, jusqu'au moment où je retournai dans mon pays. Il paraissait plutôt innocent des effets que produisait son apparence physique. Du plus profond de son être, jaillissait parfois quelque chose d'originel et de primitif, comme si, bien qu'approchant déjà de la cinquantaine, il avait préservé son âme, faute de n'avoir trouvé encore

de quoi la satisfaire. Or je constatais, à le fré-
quenter davantage, que cette âme était la plus
ardente et la plus poétique qu'il m'avait été donné
de connaître jusqu'alors, et à cause de cela sans
doute, une âme d'enfant, de rêveur, d'homme
simple, solitaire et même bien souvent naïf. Il
n'était pas conscient de ces qualités, sa bouche
prononçait tout naturellement les plus belles paroles que je n'eus jamais l'occasion d'entendre, même
lorsque plus tard, j'eus accès à la compagnie des
poètes et des artistes, je n'ai jamais rencontré
personne qui eût un sens aussi aigu de la beauté,
et qui pût être à ce point agacé jusqu'à l'exaspéra-
tion par la laideur et la grossièreté. Il devait
probablement à ces dons ignorés de lui-même
l'irrésistible attirance qu'il exerçait sur les cœurs
féminins, un tel rayonnement et une telle insou-
ciance chez un homme de cet âge étaient si rares.
C'est sans doute la raison pour laquelle il appré-
ciait ma compagnie, tout jeune homme que j'étais,
bien incapable encore de comprendre ces choses,
qui me devinrent plus claires à mesure que j'avan-
çai en âge et que je me mis à raconter l'histoire
de sa vie. Jusqu'où allait sa fortune légendaire

auprès des femmes, je n'ai jamais pu le savoir, puisqu'il n'en parlait pas et que je n'eus jamais l'occasion d'en être le témoin. De cette tristesse que l'on disait marquée sur son front, il ne me laissait rien voir, de même, je n'appris rien de ses aventures passées, sinon qu'il avait beaucoup voyagé et qu'à présent il s'était fixé à Naples depuis plusieurs années où il s'occupait de collectionner des laves et des objets anciens. Il me dit lui-même qu'il possédait des terres en Hongrie, où il m'invita à plusieurs reprises, comme je l'ai dit précédemment.

Nous avions vécu très proches l'un de l'autre pendant assez longtemps pour, lorsque arriva le moment de mon départ, nous séparer non sans regrets ni émotion partagée. Cependant, je n'aurais jamais imaginé que, après avoir engrangé dans ma mémoire tant d'autres pays et tant d'autres hommes, je finirais par me retrouver un jour parcourant la steppe hongroise pour me rendre auprès de lui, comme j'étais effectivement en train de le faire. Son image dans mes pensées devenait de plus en plus précise, et je m'y plongeai tant et si bien que j'eus du mal à ne pas me croire encore en Italie ;

17

car la plaine où je vaguais était aussi chaude et silencieuse, et je revoyais comme un mirage, les Marais Pontins se refléter au loin dans l'épaisseur bleue de la brume.

Je ne pris pas directement le chemin que le major m'avait indiqué dans sa lettre comme étant celui de son domaine, mais commençai par sillonner le pays pour le visiter dans tous ses recoins. Autant l'image que j'en avais eue jadis s'était, à cause de mon ami, confondue avec celle de l'Italie, autant à présent elle se cristallisait étrangement en quelque chose de totalement autonome. J'avais traversé des centaines de ruisseaux, de rivières et de fleuves, dormi souvent avec les bergers et leurs chiens à poils longs, je m'étais désaltéré à ces puits solitaires dont les sinistres potences se dressent très haut vers le ciel, je m'étais abrité sous des toits de roseau très pentus — j'avais vu se reposer le joueur de cornemuse, s'envoler sur la lande le postillon alerte, éclater de blancheur le manteau du gardien de chevaux — et souvent je m'étais demandé à quoi allait ressembler mon ami dans ce paysage ; car finalement, je ne l'avais vu qu'en société, parmi cette agitation où tous les hommes se ressemblent comme les cailloux de la rivière. Là-bas, il avait été un homme d'apparence distinguée, d'humeur égale — mais ici tout était différent, et à force de contempler à longueur de journée la lueur pourpre de la prairie, les milliers de petits points blancs que formaient les troupeaux de bœufs de la région, la terre sous mes pieds d'un noir profond, tant de vigueur et de luxuriance, tant de jeunesse et de force primitive malgré une histoire aussi ancienne, je me demandais comment il serait ici. J'avais parcouru ce pays en long et en large, m'étais accommodé de mieux en mieux de ses manières et de son tempérament, comme si j'entendais retentir le marteau qui forge l'avenir de ce peuple. Tout dans ce pays est tourné vers le futur, ce qui s'éteint est usé, ce qui s'éveille est brûlant, et pour cela, j'aimais ses villages à l'infini, ses collines sous les vignobles, ses marécages et ses roseaux, et voir palpiter au loin le bleu délicat de ses montagnes.

Après plusieurs mois passés à vagabonder, je croyais être arrivé à proximité du domaine de mon ami, et un peu las d'en avoir tant vu, je décidai de mettre fin à ce pèlerinage et de gagner sans plus tarder la propriété de mon hôte. Tout l'après-midi j'avais marché dans un champ de pierres torride ; à ma gauche s'élevaient les crêtes des montagnes bleues au loin vers le ciel — je les prenais pour les Carpates — et à ma droite s'étendait un paysage déchiré, baigné de cette étrange lueur rougeâtre que sécrète si souvent le souffle de la prairie ; mais les deux côtés ne se rejoignaient pas, entre eux s'insinuait l'image inaltérable des plaines. Enfin, comme je grimpais hors d'un fossé au fond duquel se dessinait le lit asséché d'un ruisseau, un bois de châtaigniers sur la droite, et une maison blanche me sautèrent aux yeux — une dune jusque-là m'avait dissimulé les deux. — Trois lieues, trois lieues — voilà ce qui me fut répondu tout l'après-midi lorsque je m'enquérais d'Unwar — ainsi se nommait le château du major — trois lieues, mais je connaissais d'expérience les lieues hongroises, j'en avais certainement fait au moins cinq, et mon plus cher désir était que cette maison s'appelât Unwar. Non loin de là, j'aperçus des hommes dans les champs au flanc d'une colline. Je traversai une partie du bois de châtaigniers, dans l'intention d'aller les interroger. Aussitôt je

reconnus ce à quoi j'aurais dû m'attendre, et à
quoi m'avaient préparé les nombreuses halluci-
nations que réserve ce pays, à savoir que la maison
ne se trouvait pas juste derrière la forêt, mais une
plaine s'allongeait entre elle et les châtaigniers,
et que c'était une très grande bâtisse. Une silhouette
au galop traversa la plaine en direction des champs
où travaillaient les hommes. Lorsqu'il fut arrivé
près d'eux tous s'assemblèrent autour de ce person-
nage, comme autour d'un seigneur — mais il ne
ressemblait guère au major. Je m'approchai lentement du remblai, lui aussi plus éloigné que je ne
le pensais, et j'arrivai exactement au moment
où le soleil couchant commença de flamboyer sur
les sombres champs de maïs ondulant, et sur le
groupe de valets de ferme barbus, autour du
cavalier. Celui-ci n'était autre qu'une femme, âgée
d'environ quarante ans, vêtue, fait plutôt étrange
en soi, à la mode locale, de larges chausses, et
qui montait à cheval comme un homme. Lorsque
les valets de ferme se dispersèrent et qu'elle se
retrouva un peu isolée, je m'adressai à elle. Repo-
sant mon havresac sur mon bâton, je levai les
yeux vers elle, et écartant pour ainsi dire de mon

visage les rayons rouges du couchant qui tombaient obliques, je lui dis en allemand : « Bonsoir, mère. »

« Bonsoir » répondit-elle dans la même langue.

« Auriez-vous l'amabilité de me dire si cette bâtisse s'appelle Unwar ? »

« Non, ce n'est pas Unwar. Vous êtes attendu à Unwar ? »

« En effet. Je vais rendre visite à mon ami le major qui m'a invité. Nous nous sommes connus en voyage. »

« Dans ce cas, suivez-moi quelques instants. »

A ces mots, elle se mit en route, guidant lentement son cheval pour que je puisse la suivre parmi le maïs qui s'étageait en longues touffes vertes sur le flanc de la colline. Marchant derrière elle, je pouvais à loisir promener mes yeux aux alentours — et de fait, j'eus de plus en plus de motifs d'être émerveillé. A mesure que nous montions, la vallée derrière nous s'offrait aux regards, entre le château et l'intérieur des montagnes qui s'amorçaient à ses pieds, s'étalait toute une immense forêt de jardins, des allées longeaient les champs, des terrains cultivés apparemment très généreux s'alignaient les uns à la suite des autres. Je n'avais jamais vu de ce maïs, à longues feuilles, épaisses et fraîches, et pas la moindre petite mauvaise herbe entre les tiges. Les vignes, dont on atteignait justement les premiers plants, me rappelèrent celles du Rhin, dont les feuilles et les branches ne pouvaient cependant rivaliser avec celles-ci en vigueur, exubérance et luxuriance. Entre les châtaigniers et le château, la plaine, un pré doux et pur, était comme recouverte de velours, entrecoupée de chemins clôturés à l'intérieur desquels circulaient les bœufs blancs de la région, aussi lisses et svelts que des cerfs. Tout cela contrastait merveilleusement avec le champ de pierres que j'avais traversé dans la journée, maintenant enfoui au loin dans l'air du soir et qui, à travers les rayons rouges fuyants, dardait sa chaleur et sa sécheresse sur cette végétation fraîche et verte.

Sur ces entrefaites, nous étions arrivés près de l'une de ces maisonnettes blanches que j'avais aperçues à plusieurs reprises disséminées dans la verdure des vignes. La femme s'adressa à un jeune homme, qui s'activait devant la porte de la maisonnette, vêtu, malgré la douceur de ce soir de juin, d'une fourrure à longs poils : « Milozs, Monsieur voudrait se rendre à Unwar d'ici ce soir, tu pourrais peut-être prendre les deux bais au pâturage, lui en donner un et l'accompagner jusqu'au gibet. »

« Oui », répondit le garçon et il se leva.

« Allez avec lui maintenant, il va vous conduire à bon port », dit la femme en faisant faire demi-tour à son cheval pour le remettre dans le chemin par lequel elle était venue en ma compagnie.

Je la pris pour une sorte d'intendante et voulus lui offrir une bonne récompense pour le service qu'elle venait de me rendre. Elle se mit simplement à rire et ce faisant, découvrit une rangée de très belles dents. Lentement d'abord, elle conduisit son cheval à travers les vignes, et bientôt nous l'entendîmes s'élancer au galop, comme si elle survolait la plaine.

Je remis mon argent dans ma poche et me tournai vers Milozs. Celui-ci qui en attendant avait mis un large chapeau en plus de sa fourrure, me fit faire un bout de chemin dans les vignes jusqu'à ce que, après avoir gravi la pente courbe d'une

vallée, nous tombions sur des écuries d'où il fit
sortir deux de ces petits chevaux que l'on rencontre
dans les landes de ce pays. Il sella le mien, monta
le sien à cru, et nous partîmes sans plus tarder vers
le crépuscule, vers le sombre ciel de l'est. Cela
devait donner un étrange spectacle : le voyageur
allemand assis sur son cheval avec son havresac,
son bâton noueux et son bonnet, et près de lui le
Hongrois svelte, avec son chapeau rond, sa moustache, sa fourrure et ses blanches chausses flot-
tantes — tous deux menant leurs montures dans
la nuit et le désert. Car ce fut bien dans un désert
que nous arrivâmes, de l'autre côté des vignes, où
la société n'était plus qu'illusion. En réalité, c'était
à nouveau mon vieux champ de pierres qui était
resté si semblable à lui-même que j'aurais cru que
l'on refaisait le même chemin que j'avais pris à
l'aller, si le rouge sale embrasant encore le ciel derrière mon dos, ne m'avait fait comprendre qu'en
vérité nous nous dirigions vers le matin.

« Est-ce encore loin jusqu'à Unwar ? »
demandai-je.

« Encore une lieue et demie », répondit
Milozs.

J'acquiesçai, et le suivis aussi bien que je pus. Nous passions près des mêmes innombrables pierres grises que j'avais comptées par milliers durant toute la journée. Prises d'une fausse clarté, elles filaient derrière moi sur le sol noir, car en fait nous menions nos chevaux sur de la tourbe sèche et dure, je n'entendais pas le bruit des sabots, sauf lorsque par hasard, leurs fers heurtaient une des pierres que d'ordinaire, habitués à de tels chemins, ces animaux savent très bien éviter. Le sol était toujours égal, sinon que nous avions à nouveau descendu et remonté deux ou trois vallons, au fond de chacun desquels gisait un torrent figé d'éboulis et de graviers.

« A qui donc appartient cette propriété que nous venons de quitter ? », demandai-je à mon compagnon.

« Maroshely », répondit-il.

Je ne savais pas si c'était le nom du propriétaire et si j'avais réellement bien entendu, car il avait parlé rapidement, devant moi ; et la course rendait la conversation difficile.

Enfin un quartier de lune rouge sang se leva, et dans sa faible clarté se profila sur la lande

la charpente efflanquée qui m'annonçait que mon
guide avait atteint son but.

« Voilà le gibet », dit Milozs, « là, en bas,
où ça brille, coule un ruisseau, dirigez-vous à côté,
vers la grande masse noire, c'est un chêne où jadis
on pendait les brigands. Aujourd'hui, ça ne doit
plus se faire puisqu'il y a le gibet. A partir du
chêne s'amorce un chemin carrossable en bordure
duquel vous verrez de jeunes arbres. Suivez ce
chemin pendant un peu moins d'une heure, puis
tirez sur la chaîne de la cloche à la grille. Un
conseil, n'entrez pas, même si elle n'est pas fermée
à clé, et ceci à cause des chiens. Tirez simplement
sur la chaîne de la cloche. Vous pouvez descendre
maintenant, et vous feriez mieux de fermer votre
veste, si vous ne voulez pas attraper la fièvre. »

Je descendis de cheval, et bien que mon
pourboire n'ait pas été le bienvenu auprès de
l'intendante, j'en offris un aussi à Milozs. Il le
prit et l'enfouit dans sa fourrure. Puis il saisit la
bride de mon cheval, se retourna et s'éclipsa avant
même que j'aie pu le charger d'exprimer ma
gratitude au maître des chevaux de m'avoir permis
d'en emprunter un pour partir dans la nuit d'une

manière si pressante. Il avait manifestement voulu
fuir. J'observai les lieux. Une poutre transversale
surmontait deux piliers. C'est ainsi que le gibet se
dressait dans la lumière jaune de la lune. Tout en
haut, quelque chose ressemblait à une tête. En
réalité, il s'agissait d'une quelconque protubérance
du bois. Je poursuivis mon chemin avec la vague
impression que l'herbe chuchotait derrière moi et
que quelque chose bougeait au pied du gibet. Pas
la moindre trace de Milozs, on aurait dit qu'il
n'était jamais passé par là. Le ruisseau miroitait,
scintillait et ondulait comme un serpent autour
des joncs. Tout près, s'élevait le noir édifice de
l'arbre. Je le contournai et trouvai de l'autre côté
un chemin droit et blanc, éclairé par la lune.
C'était un chemin battu, bordé de fossés et d'une
allée de jeunes peupliers. Cela me fut bien agréable
d'entendre à nouveau le bruit de mes pas, comme
chez nous, sur les chemins de mon pays.

Je marchais lentement, droit devant moi.
Plus la lune montait, plus elle se dessinait nettement dans le chaud ciel d'été, tel un disque
blafard, sous lequel glissait la lande. Enfin, une
bonne heure s'était écoulée, une masse de blocs

noirs se dressa devant moi, ce devait être une
forêt ou un jardin, et très vite, le chemin rencontra
une grille fixée dans un mur qui courait par-delà
la forêt, et derrière lequel les cimes gigantesques
des arbres se tenaient, silencieuses comme la mort
dans l'air argenté de la nuit. A la grille, je trouvai
une poignée que je tirai, et j'entendis retentir la
cloche à l'intérieur. Tout de suite après, ce ne fut
non pas des aboiements, mais deux halètements
de ce souffle grave, décidé et impatient des chiens
de race — un bond sonore — et apparut debout
derrière la grille, le plus grand, le plus beau chien
que j'eusse jamais vu. Il se mit sur ses pattes de
derrière, cramponna celles de devant aux barreaux
de fer et regarda à l'extérieur dans ma direction,
sans le moindre bruit, avec l'air sérieux qu'ont
habituellement ces animaux. Alors arrivèrent en
courant ventre à terre et en grognant, deux autres
chiens de la même race, mais plus jeunes et plus
petits, des bouledogues lisses, et tous me dévisa-
gèrent. Au bout d'un moment, j'entendis des pas,
et vis s'approcher un homme vêtu d'une fourrure
à longs poils, qui me demanda ce que je désirais.
Je répondis que je voulais savoir si je me trouvais

bien à Unwar, et lui donnai mon nom. Il devait avoir des instructions ; car immédiatement, il calma les chiens par quelques mots de hongrois, puis ouvrit la grille.

« Le maître a reçu des lettres de vous, et vous attend depuis déjà un certain temps », dit l'homme pendant que nous poursuivions notre chemin.

« Mais je lui avais pourtant dit mon intention de visiter votre pays », répondis-je.

« Vous l'avez visité longtemps », dit-il.

« En effet », répondis-je. « Le major est-il encore éveillé ? »

« Il n'est même pas à la maison, il est à une réunion, et reviendra demain matin. Il a fait mettre trois pièces à votre disposition, et a dit de vous y conduire dans le cas où vous arriveriez pendant son absence. »

« Alors, je vous prie de m'accompagner. »

« Bien. »

Ce furent les seuls mots que nous échangeâmes pendant le temps que dura la longue traversée de ce qui était plutôt à mon avis une forêt vierge qu'un jardin. D'immenses sapins s'élevaient vers le ciel, et des chênes s'écartelaient, aux branches aussi épaisses qu'un homme. Le plus grand des chiens marchait tranquillement à nos côtés, et les autres, après avoir reniflé mes vêtements, se pourchassaient mutuellement. Une fois le bosquet traversé, nous arrivâmes au pied d'une hauteur dénudée sur laquelle était érigé le château — pour autant que je pus l'apercevoir sur le moment — un grand bâtiment carré. Un large escalier en pierre, illuminé par un magnifique clair de lune, menait au sommet. L'escalier débouchait sur un espace à peu près plat où une grosse grille tenait lieu de portail à la maison. Lorsque nous fûmes arrivés à la grille, mon compagnon dit quelques mots aux chiens qui se précipitèrent de nouveau comme des fous vers le jardin. Alors il fit jouer la serrure et me conduisit à l'intérieur de la maison.

La lumière brûlait encore dans l'escalier, et faisait ressortir d'étranges, grandes effigies en pierre, avec de larges bottes et des robes à traîne. Il devait s'agir de rois de Hongrie. Un long corridor recouvert de nattes en jonc nous accueillit au premier étage. Nous le longeâmes et montâmes

ensuite un autre escalier. Suivit un corridor iden-
tique, où mon compagnon ouvrit l'un des battants
d'une porte, et m'annonça qu'ici étaient mes appartements. Nous entrâmes. Après avoir allumé plusieurs bougies dans chacune des pièces, il me
souhaita bonne nuit et se retira. Un moment plus
tard, quelqu'un d'autre m'apporta du vin, du pain
et du rôti froid, et me souhaita bonne nuit comme
celui qui l'avait précédé. Cela, et l'aménagement
général des pièces, me fit comprendre qu'on me
laisserait seul désormais, par conséquent, je me
dirigeai vers les portes et m'enfermai.

Puis, tout en mangeant, j'inspectai mon
logis. La première pièce, où l'on avait déposé mon
repas sur une grande table, était très vaste. Elle
était tout entière éclairée par des bougies qui
brûlaient d'une flamme claire. Les objets étaient
différents de ceux dont on se servait chez nous.
Au milieu se trouvait une longue table, à l'extrémité de laquelle je mangeais. Tout autour étaient
alignés des bancs en bois de chêne, guère confor-
tables d'aspect, sans doute destinés à être utilisés
pour des réunions. En outre, restaient quelques
chaises par ci, par là. Au mur, étaient accrochées

des armes de différentes époques. Elles avaient jadis probablement fait partie de l'histoire de la Hongrie. Parmi elles, encore un grand nombre d'arcs et de flèches. Hormis les armes, étaient suspendus également des vêtements hongrois conservés depuis des temps très anciens, dont certains en soie, flottants, avaient sans doute appartenu aux Turcs ou même aux Tatares.

Quand j'eus terminé mon souper, j'allai vers les pièces voisines, dans le prolongement de celle-ci. Elles étaient plus petites, et ainsi que je l'avais remarqué dès le premier regard lorsqu'on m'y avait conduit, aménagées de façon plus confortable que la salle. Il y avait des chaises, des tables, des armoires, des ustensiles de toilette, un nécessaire à écrire, et tout ce qu'un voyageur solitaire a jamais pu désirer trouver dans son logis. Il y avait même des livres sur la table de nuit, tous écrits en langue allemande. Dans chacune des pièces se trouvait un lit, recouvert, non d'une couverture, mais de l'ample vêtement traditionnel que l'on nomme bunda. C'est généralement un manteau en peau, dont le côté bourru est placé à l'intérieur, alors que le côté lisse et blanc est à l'extérieur. Il est souvent orné de lanières diverses et colorées et d'applications décoratives en cuir de toutes les couleurs.

Avant de me mettre au lit, j'allai à la fenêtre pour regarder, selon mon habitude lorsque je me trouve dans un lieu étranger, comment se présentait le dehors. Il n'y avait pas grand-chose à voir. Le paysage que je pus apercevoir néanmoins, dans le clair de lune, n'avait rien d'allemand. En bas, comme une autre bunda, mais immense celle-ci, la tache sombre de la forêt ou du jardin était posée sur la steppe — au-delà chatoyait le gris de la lande — et j'eus du mal à discerner si les quelques rayures que je voyais étaient des choses de ce monde ou des bancs de nuages. Après avoir promené mon regard un moment sur tout cela, je me déshabillai, allai vers le premier lit venu, et me couchai.

En tirant la douce fourrure de la bunda sur mes membres fatigués, juste avant de fermer les yeux, je me dis encore : « Comme je suis avide de connaître ce qui va m'arriver d'agréable ou de pénible dans cette maison ! »

Puis je m'endormis, et tout ce qui s'était passé dans ma vie, aussi bien que tout ce que je désirais y voir advenir, succomba.

## MAISON DANS LES STEPPES

Combien de temps j'avais dormi, je l'ignorais, mais je sais que mon sommeil n'avait été ni profond ni réparateur. Ce fut sans doute les effets de la trop grande fatigue. Je marchai toute la nuit sur le Vésuve, et vis le major, tantôt en costume de pèlerin, tantôt en habit, debout, cherchant des pierres parmi les escarbilles. Le matin, je fis un rêve dans lequel j'entendis hennir des chevaux et aboyer des chiens, puis après m'être rendormi un long moment d'un profond sommeil, je m'éveillai, il faisait grand jour dans la chambre, et je regardai en direction de la salle où les armes et les vêtements étaient suspendus dans la lumière du soleil. En bas, le parc sombre crépitait du

vacarme des oiseaux, je me levai et lorsque je
m'approchai de l'une des fenêtres, la lande scintillait au dehors, à travers le filet des rayons du
soleil. J'étais à peine habillé qu'on frappa à ma
porte, j'ouvris, et mon compagnon de voyage
d'autrefois entra. Tous ces jours derniers, j'avais
été constamment préoccupé de savoir sous quel
aspect il allait m'apparaître, eh bien, il ne fut
autre que ce qu'il devait justement être, tellement
en accord avec tout ce qui l'entourait qu'il me
sembla l'avoir toujours connu ainsi. La moustache
qu'il portait, selon l'usage, faisait encore davantage
briller ses yeux, un chapeau rond à larges bords
coiffait son chef, et de larges chausses blanches
lui couvraient les jambes jusqu'aux hanches. Tout
cela était si naturel que j'oubliai d'un coup à quoi
il ressemblait en frac, je trouvai charmant son
costume régional en comparaison de ma frise allemande que j'avais laissée sur un banc et qui me
parut bien piteuse, poussiéreuse et fanée, sous la
robe en soie décolorée d'un Tatare. Son veston
était plus court qu'on ne le porte en Allemagne,
mais allait très bien avec l'ensemble. Certes, mon
ami avait vieilli ; ses cheveux se mêlaient de gris,

et son visage était sillonné des fines rides courtes qui, sur les personnes distinguées qui paraissent jeunes longtemps, finissent tout de même par trahir le nombre croissant des années ; cependant, il me parut toujours aussi agréable et avenant.

Il me salua aimablement, cordialement, oui, presque tendrement, et après une demi-heure de conversation, nous étions redevenus aussi familiers que naguère. J'eus l'impression que nous n'avions jamais été séparés depuis notre voyage en Italie. Comme je m'habillais, je fis remarquer qu'une valise supplémentaire avec le reste de mes affaires allait suivre, il me proposa en attendant, ou si je voulais, pendant tout mon séjour en ces lieux, de porter des vêtements hongrois. J'acceptai l'idée, et les différentes parties du costume arrivèrent aussitôt, il précisa que d'autres me seraient apportées qui me permettraient de me changer les jours suivants. Nous descendîmes ainsi dans la cour rejoindre les valets de ferme, habillés de même, qui, en nous amenant les chevaux pour une promenade matinale, nous regardèrent avec tant de bienveillance à travers leurs sombres moustaches et leurs sourcils broussailleux, que je me sentis revigoré en moi-même par ce spectacle, si noble et si apaisant.

Accompagnés du dogue grand et doux, nous chevauchâmes sur les terres du major. Il me montra tout, distribuant des ordres et des compliments. Le parc que nous traversâmes d'abord était sauvage et riant, très bien entretenu, propre, et entrecoupé de chemins. Nous le quittâmes en direction des champs ondoyants, d'un vert profond. Seulement en Angleterre, j'avais vu une telle verdure ; mais là-bas, elle m'avait semblée plus tendre et plus délicate, alors qu'ici elle était vigoureuse et gorgée de soleil. Nous faisions gravir à nos chevaux une côte en pente douce derrière le parc, au sommet de laquelle s'étiraient les vignes contre la lande. Les feuilles étaient toutes sombres et larges, les plantations formaient une longue ligne, en divers endroits y étaient mélangés des pêchers, et depuis cette propriété, ainsi qu'à Maroshely, les points blancs lumineux des cabanes nous regardaient. Arrivés sur la lande, nous aperçûmes ses bœufs, un immense troupeau, dispersé, presque incommensurable. Une heure de chevauchée nous amena ensuite aux haras et aux bergeries.

Comme nous passions sur la lande, il me désigna un étroit ruban de terre noire, très loin à l'ouest, coupant le gris de la steppe qui reculait, et dit : « Ce sont les vignobles de Maroshely, où vous avez emprunté les chevaux hier. »

Au retour, nous prîmes un autre chemin, et il me montra ses jardins, ses vergers et ses serres. Pour y arriver, nous passâmes en bordure d'un terrain en friche, où s'activait un grand nombre de gens. A la question que je posai, il répondit que c'étaient des mendiants, des rôdeurs, et même de la racaille qu'il avait embauchés à travailler pour lui moyennant un salaire ponctuel. Ils étaient en train d'assécher un marécage et de construire une route.

De retour à la maison à midi, nous déjeu-nâmes avec les valets de ferme et les servantes, dans une sorte de vestibule, ou plutôt sous un immense auvent, tout près duquel se dressait un gigantesque noyer. Des tziganes de passage, fai-saient de la musique à côté de l'échafaudage en bois du puits. — A table se trouvait également un étranger, un très jeune adolescent. Son extra-ordinaire beauté me surprit. Il avait apporté des lettres du voisinage, et repartit après le repas. Il était traité avec beaucoup de respect, presque tendrement par le major.

La chaude après-midi se passa dans les chambres fraîches. Le soir, mon hôte me fit contempler le rougeoiement du soleil couchant sur la lande. Pour ce faire, nous partîmes à cheval, après qu'il m'eut recommandé de jeter sur mes épaules une fourrure, ainsi qu'il l'avait fait lui-même, pour me protéger de l'air malsain de la plaine, même si la température encore douce semblait rendre cette précaution inutile. Une fois arrivés à l'endroit indiqué par le major, nous attendîmes que le soleil soit couché. S'ensuivit alors, effectivement, un somptueux spectacle : sur le disque noir de la lande s'était posée la cloche géante du ciel jaune, brûlant et flamboyant, tellement chatoyant pour les yeux, et les subjuguant à un point tel que chaque élément de la terre devient sombre et étranger. Un brin d'herbe de la lande se dresse contre le brasier comme un fléau, un animal passant là par hasard dessine un monstre noir sur un fond d'or, et les pauvres buissons de genévriers et de prunelliers esquissent des cathédrales et des palais lointains. Très vite à l'est, commence à monter le bleu humide et froid de la nuit, et une brume terne et opaque tranche la parfaite splendeur de la coupole du ciel.

L'apparition a lieu essentiellement pendant le mois de juin, quand le soleil se tient haut et longtemps dans le ciel. Lorsque nous fûmes rentrés, que nous eûmes soupé et passé un moment à bavarder, je me retrouvai dans ma chambre debout à la fenêtre, il n'était pas loin de minuit, un petit éclat de lumière jaune trouble brillait encore à l'ouest, tandis qu'à l'est bleu, le disque rouge de la lune à sa moitié était en feu.

Ce soir-là, je décidai d'interroger le major, le lendemain, le surlendemain ou les jours suivants, si jamais l'occasion s'en présentait, sur le but qu'il m'avait écrit avoir enfin atteint et qui l'attachait à son pays pour l'éternité.

Le lendemain matin, il me réveilla avant le lever du soleil, et me demanda si je voulais me consacrer à moi-même durant cette journée, ou si je voulais la partager avec lui. De même à l'avenir, il me serait loisible de choisir entre les deux. Si je voulais participer aux affaires et aux efforts de la maison, il me suffirait, le jour où cela me viendrait à l'idée, de me lever et d'aller prendre mon déjeuner avec les autres dans la cour, au son des cloches qui carillonnaient tous les matins. Pour les jours où j'aurais des projets personnels, je trouverais bien des gens ayant déjà reçu des instructions, à supposer que lui-même soit absent, afin de me procurer des chevaux, un guide ou tout autre chose qu'il me serait nécessaire d'avoir à ma disposition. Il tenait à ce que je l'avertisse toujours dans ces cas-là, surtout si j'avais l'intention de m'éloigner outre mesure de la maison, afin qu'il puisse prévenir les méandres, les difficultés et peut-être même les petits dangers qui pourraient survenir. Je lui fus très reconnaissant de tant de prévenance, et déclarai que je souhaitais partager son temps, aujourd'hui, demain, et tant que je n'aurais pas d'autres desseins.

Je me levai donc, m'habillai et me rendis sous l'auvent pour la collation matinale. Les autres avaient déjà presque terminé et ils se séparèrent pour vaquer à leurs occupations respectives. Le major était resté, et attendit que je termine d'avaler mon déjeuner. Puis, on nous amena les chevaux sellés. Je ne posai pas de questions sur ce qu'il avait l'intention de faire, mais le suivis où il allait.

Ce jour-là, ce ne fut pas une promenade à cheval pour me présenter ici et là, ses propriétés et ses activités d'une manière générale, mais il me dit vouloir accomplir ce que sa journée exigeait de lui, et que moi, je pouvais le regarder faire, si je ne trouvais pas cela trop fastidieux.

Nous arrivâmes à proximité d'un grand pré où l'on faisait les foins. Le superbe bai hongrois que montait le major, dansait sur la belle et douce verdure fauchée de la prairie. Il laissa son cheval aux soins d'un valet de ferme, et examina le foin de quelques meules. L'un des valets fit remarquer qu'il serait engrangé au cours de l'après-midi. Le major donna l'ordre, pendant qu'on fauchait le pré, de creuser plusieurs fossés afin que le surplus d'eau s'écoule et se déverse plus loin. Il s'engagea dans le chemin conduisant du pré aux serres, qui ne se trouvaient pas, comme c'est l'usage ailleurs, à côté de la maison d'habitation, mais dans un endroit déterminé où un léger talus de terre exposait leurs toitures à l'est et au midi. Tout près de ces bâtiments, il y avait une petite écurie propre,

dans laquelle le major et ses compagnons, si par
hasard il en avait, pouvaient abriter leurs chevaux ;
en effet, il n'était pas rare qu'il eût l'occasion de
séjourner là un certain temps, et lorsqu'il recevait
des visiteurs s'intéressant à l'organisation de ses
plantations, il pouvait également lui arriver d'y
passer quelques heures. Une fois conduits nos
chevaux à l'écurie, il se mit à examiner quelques
échantillons de végétaux et de plantes qui avaient
été préparés pour être expédiés, puis se rendit au
bureau des jardiniers où se trouvaient différents
papiers qu'il passa un long moment à consulter
devant la table. Je me mis alors à regarder les
choses autour de moi, auxquelles je compris à
peine autant et aussi peu que quelqu'un qui est
perpétuellement en voyage et qui se retrouve face
à d'innombrables serres. Ce ne fut que plus tard,
lorsque j'eus un peu parcouru dans sa bibliothèque
les ouvrages et les illustrations sur ce sujet, que
je reconnus combien en réalité mes connaissances
sur le fond de ces questions, étaient limitées.

« Si l'on veut vraiment récolter des fruits »,
me dit plus tard le major, « il faut exploiter entiè-
rement ces choses charmantes qui font que l'on

aime se perdre dans les détails, et entreprendre de dépasser largement les autres qui exercent la même activité. »

En sortant du bureau des jardiniers, il observa pendant un moment des femmes occupées au brossage et au nettoyage des feuilles vertes des camélias. A l'époque, c'était encore une plante rare et chère. Il examina aussi les feuilles déjà nettoyées et fit ses remarques. De là, nous partîmes vers les serres qui abritaient les très jeunes pousses disposées en de nombreux parterres de sable, propres, clairs et blancs, puis nous passâmes en revue toutes les fleurs et toutes les plantes dont il s'était fixé l'objectif de faire la culture. A l'autre extrémité de ces installations, nous attendaient nos chevaux, qu'entre-temps un aide-jardinier avait amenés par-derrière. C'était là que l'on préparait et mélangeait les terres que, tout au long de l'année, des ânes transportaient dans des paniers depuis diverses régions et souvent même depuis de lointaines forêts de conifères. Il y avait aussi des places précises pour cuire la terre, et à proximité, était empilé le bois de chêne destiné au chauffage pendant l'hiver.

Comme, ainsi que je l'avais déjà remarqué la veille, des plantations, nous n'étions pas très éloignés de la lande, nous nous mîmes alors en route pour la rejoindre. D'un bon galop, nos chevaux légers nous portèrent bientôt assez avant sur la plaine monotone dans les senteurs du matin, pour que nous ne vissions plus, du château et du parc, qu'une tache sombre dans le lointain. Là, nous retrouvâmes ses bergers. Quelques perches, mais si ténues qu'il était hors de question d'en faire une paroi, formaient un cabanon, ou simplement un repère qui pouvait aisément se voir et se remarquer dans la steppe. Sous ces perches, brûlait, ou plutôt rougeoyait un feu alimenté par des branches dures et des racines de genévriers, de prunelliers et d'autres buissons rabougris. C'est là que les bergers, qui déjeunaient déjà à onze heures, préparaient leur repas. Des hommes bruns, dont les fourrures traînaient par terre, se tenaient debout autour du major, dans leurs chausses blanches sales, en manches de chemise, et répondaient à ses questions. D'autres, qui l'avaient aperçu de loin arriver sur l'immense étendue, accoururent

à bride abattue sur leurs vilains petits chevaux
sans selle ni harnais, et dont les rênes et le licou
n'étaient bien souvent qu'une corde. Ils descen-
dirent, tenant leurs chevaux à la main, et entou-
rèrent le major, qui était descendu lui aussi et
avait donné son cheval à tenir à quelqu'un d'autre.
Ils ne parlaient pas avec lui seulement de leur
travail, mais aussi de bien d'autres choses et il les
connaissait presque tous par leurs noms. Il était
aussi aimable avec eux que s'il avait été l'un des
leurs, et j'avais le sentiment qu'il suscitait une
sorte de passion parmi ces hommes. Comme chez
nous, dans les montagnes, les bêtes, ici, restaient
dehors tout l'été. C'étaient les bœufs blancs à longues cornes de ce pays, qui se nourrissent des
herbes de la steppe, si savoureuses et parfumées
de fleurs, que nous, habitants des Alpes, avons
peine à l'imaginer. Auprès des bêtes, vivent également les hommes qui leur sont consacrés, avec
souvent rien d'autre au-dessus d'eux que le ciel
et les étoiles de la lande, et souvent, comme nous
venions de le voir, seulement quelques perches
ou une cabane en terre creusée. Ils étaient debout
devant le major, le seigneur de ces lieux, comme

ils l'appelaient, et recevaient ses ordres. Lorsqu'il se remit en selle, l'un d'eux, dont les yeux étincelaient dans le noir de son visage et de ses sourcils, tint sa monture, tandis qu'un autre, aux longs cheveux et à la moustache épaisse, se baissa pour tenir les étriers.

« Adieu, les enfants », dit-il en s'éloignant, « je reviendrai bientôt vous voir, et si les voisins passent chez nous, nous reviendrons nous reposer une après-midi sur la lande, et mangerons avec vous. »

Il avait prononcé ces mots en hongrois, et à ma prière, me les traduisit en allemand.

En chevauchant, il me dit : « Si vous voulez vous amuser à observer plus en détail un jour cette activité sur la lande, et que par exemple, vous vouliez une fois y venir seul, pour vivre en quelque sorte avec eux, vous devez prendre garde aux chiens qu'ils ont. Ils ne sont pas toujours aussi dociles et patients que vous avez pu le voir aujourd'hui, ils pourraient au contraire devenir très sévères avec vous. Vous devez me prévenir pour que je vous y conduise, ou si moi-même, ne le peux pas, que je vous fasse escorter par un berger qui vous guide et que les chiens aiment et connaissent. »

En effet, lorsque nous étions près du feu des bergers, j'avais admiré les chiens à poils longs, extraordinairement grands et sveltes, je n'en avais pas rencontrés de semblables pendant tout mon voyage, et qui étaient assis sagement çà et là, parmi nous autour du feu, comme s'ils comprenaient quelque chose à la conversation, et y participaient.

Nous partîmes pour nous en retourner au château, puisque l'heure du repas de midi approchait déjà. Lorsque nous passâmes, comme la veille, à proximité du terrain où les gens travaillaient à assécher le marais, et à niveler la route, il montra du doigt un champ de blé qu'on longeait de près, et dont le fruit était exceptionnellement vigoureux, et dit : « Ces bonnes glèbes, si elles font leur office, vont bien être obligées de nous fournir l'argent nécessaire pour réaliser quelque chose ailleurs. Là-bas, dans ce désert, les gens travaillent pendant toute l'année. Ils sont payés à la journée et se font à manger en plein air, tout à côté de leur ouvrage. Pour dormir, ils vont dans ces cabanes en bois que vous voyez. L'hiver, lorsque se forme

de la glace, nous attaquons les endroits plus pro-
fonds, où nous ne pouvons rien faire en ce moment,
parce que la terre est trop meuble, et nous les
comblons avec les éboulis de la lande et les pierres
que nous prenons dans les champs de vigne. »

Je vis en effet, lorsque je dirigeai mes
regards vers l'étrange aménagement, les cabanes
en bois dont il venait de parler, et en plusieurs
points sur le dos de la lande, s'élever une mince
fumée qui devait indiquer les foyers rudimentaires
sur lesquels les gens préparaient leur repas.

Juste au moment où nous entrions dans
le parc, les grands et les petits dogues bondissant
autour de nous, retentissait la cloche du manoir
qui nous appelait pour aller manger avec les autres.

Je ne questionnai pas mon compagnon de
voyage, le soir de ce jour, à propos du but qu'il
s'était fixé, comme je me l'étais si sérieusement
promis la veille avant de me coucher.

L'après-midi se passa comme d'habitude, à
la maison, seul le major partit je ne sais où, vers
cinq heures, sur le chemin tracé dans l'allée de
peupliers que j'avais moi-même emprunté la nuit
de mon arrivée, pendant que je consultais les livres

de sa bibliothèque qu'il avait fait monter de plus en plus nombreux dans ma chambre.

Le jour suivant, le major ayant beaucoup de travaux d'écriture à faire, je passai presque toute la journée à examiner les chevaux qu'il avait chez lui, et à faire la connaissance de ses gens.

Le jour d'après, j'allai avec lui à la bergerie, qui était à deux heures de cheval, et nous y passâmes toute la journée. Là-bas, certains parmi ses gens, ont des connaissances considérables et semblent avec lui approfondir la nature de ce travail qu'ils aiment. Là, je pus également constater que chaque secteur d'activité avait sa propre indépendance financière, et qu'il faisait en sorte d'allouer aux bergeries une somme prélevée sur un autre domaine. L'affaire était consignée et certifiée très correctement par des documents. Les installations sont multiples et complexes et les cultures ordonnées selon leurs besoins.

Une autre fois, je vis les haras, et nous allâmes au pâturage où les poulains et les jeunes chevaux de moins bonne race étaient placés sous la garde des bergers, comme le sont ailleurs les bœufs.

De cette manière, je fus petit à petit au courant de l'ensemble de ses activités, qui n'était vraiment pas des moindres. Je m'étonnais qu'il consacrât une telle attention et une telle application à ces choses, dans la mesure où je l'avais connu autrefois rêveur, chercheur, plus ou moins poète, versé dans les sciences.

« Je crois », dit-il une fois, « qu'il faudrait procéder de la même manière avec le sol d'un pays. Notre constitution, notre histoire sont très anciennes, mais beaucoup de choses restent encore à faire ; nous avons été préservés en elles comme une fleur dans un album de famille. Ce grand pays est un joyau plus vaste qu'on pourrait le croire, mais il a besoin encore et davantage d'être serti. Le monde entier entre dans une lutte pour devenir plus productif, et donc, nous aussi. De toute la floraison et de toute la beauté dont est encore capable aujourd'hui le corps de ce pays, il faut extraire autant l'une que l'autre. Vous avez dû le constater en venant chez moi. Ces landes sont de la plus fine et de la plus noire des terres arables, dans ces collines couvertes de roches scintillantes, jusqu'aux montagnes bleues que vous voyez au nord, sommeille le flot ardent du vin, et les regards luisants du métal, sourdent, voilés par la terre. Deux très nobles fleuves traversent notre pays, et au-dessus d'eux, l'air est pour ainsi dire mort et en attente que s'y égaillent d'innombrables banderoles multicolores. Le peuple est très divers, certains sont comme des enfants à qui l'on doit montrer comment faire pour entreprendre quelque chose. Depuis que je vis au milieu de mes gens, sur lesquels j'ai davantage de droits que vous ne le supposez, depuis que je chemine avec eux dans leurs vêtements, partage leurs coutumes et me suis acquis leur considération, c'est finalement comme si j'avais gagné quelque bonheur qu'autrefois je cherchais dans tel ou tel pays lointain. »

A présent, je ne questionnais plus cet homme à propos du but qu'il s'était fixé et qu'il avait évoqué dans la lettre que j'avais reçue.

C'était sur les variétés de céréales qu'il avait choisi de porter son attention. Et de fait, elles grandissaient si belles et si abondantes, qu'il me tardait déjà qu'approche le moment où les épis arriveraient à maturité et où nous pourrions les rentrer.

La solitude et la force de ces activités me rappelaient souvent les puissants Romains, qui avaient tant aimé eux aussi les travaux des champs et qui, au moins pendant la période la plus reculée de leur histoire, avaient pris le même plaisir à être solitaires et forts.

« Que la vocation du paysan est belle et primordiale », pensai-je, « s'il connaît son métier et le magnifie. Par sa simplicité et sa complexité, par sa cohabitation originelle, dénuée de toute passion, avec la nature, elle frôle avant tout le mythe du paradis. »

Une fois que j'eus enfin vécu plus longtemps sur les terres du major, que j'eus acquis une vue d'ensemble sur chacune de ses activités, appris à les comprendre, et pris part à la progression des choses qui avançaient devant moi, le doux écoulement monotone de ces journées et de ces occupations m'enveloppa si bien que je me sentis vivre harmonieusement et oubliai nos villes, comme un petit détail qui s'y serait glissé.

Comme nous étions retournés sur la lande parmi les chevaux, et qu'à leurs gardiens s'étaient joints les bergers des troupeaux de bœufs, de telle

manière que le hasard fit que les hommes se
retrouvèrent plus nombreux en notre compagnie,
de retour en calèche — car cette fois-ci, il avait
attelé de beaux chevaux de la lande avec leur
harnais à lanières à une voiture dont le large
écartement des roues permettait de circuler en toute
sécurité sur la lande — le major me dit : « Ceux-là,
je pourrais les amener à verser leur sang pour moi,
il suffirait que je me mette à leur tête. Leur atta-
chement est inconditionnel. Les autres aussi, les
valets de ferme et les ouvriers que j'ai à la maison,
se feraient passer sur le corps avant que de per-
mettre que l'on touchât à un seul de mes cheveux.
Si l'on y ajoute ceux qui me sont assujettis en vertu
du droit seigneurial, et qui, ainsi que j'ai pu le
constater en maintes occasions, ont beaucoup
d'affection pour moi, je pourrais réunir, je crois,
un nombre assez considérable de gens qui me sont
attachés. — Et voyez-vous, je ne suis venu vivre
auprès d'eux que lorsque mes tempes eurent gri-
sonné, et après les avoir oubliés pendant beaucoup
d'années. Quelle impression que de mener ainsi
des centaines de milliers de personnes et de les
guider vers le bien ; car la plupart du temps, quand

ils ont confiance, ils sont comme des enfants, et suivent autant le meilleur que le pire. »

« Un jour », continua-t-il après un moment, « j'ai cru que je deviendrais un artiste ou un savant. Mais j'ai compris cependant que de tels êtres ont à apporter une parole profonde, sérieuse, à l'humanité, de manière à l'exalter et la grandir et l'ennoblir — ou qu'au moins le savant ferait naître ou inventerait certaines choses propres à donner les moyens aux hommes de croître et de faire fructifier les biens de la terre. Dans les deux cas, un tel homme a le devoir de posséder lui-même, avant tout, un cœur simple et grand. Alors, puisque mon cœur n'est pas ainsi, j'ai finalement abandonné tout cela, et maintenant, c'est du passé. »

Il me sembla qu'en disant ces mots, une légère ombre gagnait ses yeux, et qu'à ce moment-là encore, il regardait dans le vague avec la même application que jadis lorsque nous nous asseyions, oisifs, sur l'Epomeo, tout un océan de ciel bleu festoyant autour de nous, la mer scintillant à nos pieds, et qu'il parlait de ces désirs et de ces rêves que bercent les cœurs juvéniles. Voilà pourquoi j'eus soudain l'impression que ce bonheur dont il me parlait, ne lui était peut-être pourtant pas totalement échu.

Ce fut la seule fois depuis notre rencontre qu'il fit allusion à son passé, la seule de tout le temps que dura notre commerce. Je n'ai moi non plus, jamais posé de questions, ni alors, ni plus tard. Qui voyage beaucoup apprend à traiter les êtres humains avec précautions et leur accorde de ne pas dévoiler les aménagements intimes de leur vie, si ce n'est volontairement. J'étais maintenant depuis assez longtemps à Unwar et m'y sentais bien, car je participais attentivement à la vie de la maison et souvent même très activement, et par ailleurs je continuais à tenir le journal de mes voyages et de mes expériences : cependant, je croyais deviner une chose, c'est que dans la vie très pure, très dynamique du major, s'attardait quelque résidu qui empêchait la clarté d'être totale, et il me semblait y discerner cette qualité de tristesse qui ne s'exprime naturellement entre hommes que par le calme et la gravité.

Par ailleurs, il était très simple dans sa vie et dans ses rapports avec moi, et il ne pouvait être question de réserve ou de dissimulation. Ainsi,

sur le bureau de son cabinet de travail où j'entrais
très fréquemment et où nous causions de choses
et d'autres pendant la chaleur de l'après-midi, ou
bien le soir à la bougie lorsque nous n'allions pas
nous coucher immédiatement, se trouvait une
image — l'image réduite dans un beau cadre doré,
d'une jeune fille d'environ vingt, vingt-deux ans —
mais fait étrange, de quelque manière que le peintre
ait tenté de masquer la chose, ce n'était pas l'image
d'une jeune fille belle, mais laide au contraire —
le teint sombre du visage et la morphologie du
front étaient singuliers, avec cependant comme de
la force et de l'énergie, et le regard farouche était
celui d'un être résolu. Que cette jeune fille ait
joué un rôle dans sa vie passée était évident, et la
question me vint à l'esprit de savoir pourquoi cet
homme ne s'était pas marié, question que je m'étais
déjà posée lors de notre rencontre en Italie ; mais
selon mes principes, je ne l'avais pas interrogé,
pas plus que je ne l'interrogeais à présent. Il pouvait, certes, laisser en toute quiétude cette image
sur le bureau ; car aucun de ses serviteurs n'entrait
dans le cabinet de travail, mais ils devaient attendre
debout dans l'antichambre où une petite clochette

annonçait leur arrivée, quand l'un d'eux avait à lui parler. De même, personne parmi ses relations et ses visiteurs ne pénétrait dans cette pièce, étant donné qu'il recevait toujours dans l'autre partie de la maison. Qu'il me soit permis d'y entrer et de contempler tout ce qui s'y trouvait et y était déposé, était donc déjà une marque de confiance. Je devais probablement cette confiance au fait que je ne cherchais jamais ni à savoir, ni à interpréter.

Puis la saison des récoltes arriva, et je n'oublierai jamais cette époque joyeuse, sereine.

Sur ces entrefaites, le major dut se rendre à plusieurs reprises dans le voisinage et il m'invita à partager ces petits voyages. Dans aucun autre pays les distances entre les lieux d'habitation ne sont aussi grandes qu'ici, mais on les couvre dans un laps de temps relativement court, avec des chevaux rapides, ou avec les voitures légères qui roulent sur la lande. Une fois, le major revêtit le costume traditionnel hongrois, très moulant, il était paré de ses plus beaux atours. Cela lui allait très bien. Lors d'une assemblée avec ses pairs, il prononça un discours en hongrois sur quelques-unes de leurs affaires communes. Depuis toujours, ce m'était une habitude dans chaque pays que je visitais, d'apprendre très vite autant de sa langue qu'il était possible de le faire, et j'avais déjà appris également un peu de hongrois avec les serviteurs du major et avec tous ceux qui m'entouraient, je compris donc en partie son discours, qui suscita une forte admiration parmi certains, et une forte réprobation parmi les autres ; dans la calèche, en rentrant, il me le traduisit intégralement en allemand. Cet après-midi-là, je l'avais vu comme jadis en Italie, en frac, ainsi que la plupart de ceux qui étaient là, et qui avaient abandonné le costume traditionnel pour revêtir l'habit que tout le monde porte en Europe.

Je l'avais aussi accompagné lors de ses autres visites dans le voisinage. J'appris alors à cette occasion qu'existaient quatre de ces résidences semblables à celle que le major possédait. Quelques années auparavant, ils s'étaient associés pour faire progresser l'agriculture et favoriser l'implantation de produits nouveaux, en œuvrant d'abord le mieux possible sur leurs propres terres, et donnant ainsi le bon exemple aux autres, afin qu'ils s'aperçoivent qu'aisance et vie meilleure se développent à partir de là. L'association avait aussi ses règlements et les adhérents se réunissaient dans des assemblées agricoles. Hormis les quatre grandes fermes modèles, qui étaient finalement et jusqu'à nouvel ordre les seuls membres de l'association, quelques propriétaires de moindre importance avaient déjà commencé à imiter les méthodes de leurs voisins plus grands, sans qu'ils fassent pour autant véritablement partie de l'association. Tous les agriculteurs et les autres pouvaient assister à la séance, mais uniquement en tant qu'auditeurs ou à l'occasion pour demander conseil, et seulement s'ils s'étaient annoncés au préalable. Et ils y participaient sans compter, d'après ce que je conclus d'une assemblée qui se tint à quatre heures de cheval d'Unwar, chez Gömör, où, comme adhérents il n'y eut que le major et Gömör, mais où l'auditoire fut en assez grand nombre.

Plus tard, je me rendis encore à deux reprises tout seul chez Gömör, et la dernière fois je restai même quelques jours auprès de lui.

Un jour, alors que la saison des récoltes arrivait à son terme, et que les travaux s'amenuisaient, le major me dit : « Puisque nous allons avoir maintenant un peu de temps libre, nous pourrons la semaine prochaine rendre visite à ma voisine Brigitta Maroshely. Vous allez rencontrer en la personne de ma voisine Maroshely, la femme la plus merveilleuse du monde. »

Deux jours après cette déclaration, il me présenta le fils de Brigitta, qui était passé par hasard. C'était le même jeune homme qui avait partagé notre table à midi, le jour de mon arrivée à Unwar, et qui m'avait frappé alors par son extraordinaire beauté. Il demeura avec nous presque toute la journée et nous accompagna dans différents endroits du domaine. C'était, ainsi que je l'avais déjà noté la première fois, un tout jeune adolescent, ayant à peine passé le seuil de l'enfance, et il me séduisit tout à fait. Son œil doux et sombre était si éloquent, il se tenait à cheval avec force et modestie : tout mon être fut pris d'affection pour lui. J'avais eu un ami comme lui, qui s'en était allé dans un froid sépulcre dans son plus jeune âge. Gustav, ainsi se nommait le fils de Brigitta, raviva ma mémoire.

Depuis que le major avait prononcé ces

mots au sujet de Brigitta, et depuis que j'avais rencontré son fils, j'avais hâte d'enfin la voir en personne.

J'avais appris une partie du passé de mon hôte par Gömör, lorsque j'étais allé chez lui. Gömör, comme la plupart de ses amis dont j'avais fait la connaissance, avait la parole facile et aimable, et il me raconta spontanément tout ce qu'il savait. Le major n'était pas né dans la région. Il était issu d'une famille très riche. Depuis sa jeunesse, il avait presque constamment été en voyage, sans que personne finalement ne sache où au juste, ni ne sache non plus dans quel corps il avait servi pour gagner le titre de major. De toute sa vie passée, il n'était pas venu sur ses terres d'Unwar. Il était arrivé quelques années auparavant pour s'y établir, et avait rejoint l'association des amis de l'agriculture. A cette époque, l'association ne comptait que deux membres : Gömör lui-même et Brigitta Maroshely. Ce n'était pas une association à proprement parler, car les rencontres et les règlements n'interviendraient que plus tard, mais en revanche, les deux voisins, lui et Brigitta, avaient de concert entrepris une meilleure exploitation de leurs propriétés dans cette contrée désertique. Finalement, ç'avait été Brigitta qui avait amorcé le mouvement. Du fait qu'on pouvait la dire plutôt laide que jolie, son mari, un être jeune, étourdi, qui l'avait épousée dans sa prime jeunesse, l'avait quittée, et n'était jamais revenu. C'est à cette époque qu'avec son enfant, elle était apparue dans sa résidence de Maroshely et qu'elle avait, comme un homme, entrepris transformations et exploitations, et jusqu'à ce jour encore, elle montait à cheval et s'habillait en homme. Elle avait fait régner la concorde parmi ses gens, s'activait et travaillait du matin au soir. On avait pu voir là ce qu'un travail incessant était capable d'accomplir ; car elle avait fait presque un miracle sur un champ de pierres. Lui, lorsqu'il l'avait rencontrée, était devenu son émule, et avait introduit ses méthodes sur son propre domaine. Il ne l'avait pas regretté jusqu'à présent. Au début, lorsque le major s'était installé à Unwar, il n'était pas allé chez elle pendant plusieurs années. Puis, une fois, elle avait été à l'article de la mort ; là, il avait traversé la lande à cheval pour aller chez elle, et lui avait rendu la santé. Depuis ce temps, il avait été la voir régulièrement. Les gens disaient qu'il aurait eu recours alors aux vertus thérapeutiques du magnétisme dont il aurait été l'adepte, mais personne ne sait rien de précis sur cette affaire. Se sont tissés des liens exceptionnellement sincères et cordiaux — de la plus haute amitié, cette femme est effectivement digne — mais c'est une autre histoire de savoir si la passion que le major éprouve pour la laide et déjà vieillissante Brigitta, est naturelle — car c'était sûrement de la passion, n'importe qui aurait pu s'en apercevoir. Le major aurait certainement épousé Brigitta s'il avait pu — apparemment, son chagrin était profond de ne pouvoir le faire ; mais du fait qu'on ne savait rien de son conjoint, aucun certificat de décès ou de séparation n'avait été délivré. Ceci parlait nettement en faveur de Brigitta, et condamnait son époux qui s'en était allé jadis d'une manière tellement étourdie, alors qu'à présent, un homme si raisonnable désirait ardemment la posséder.

Ce fut ce que me dit Gömör à propos du major et de Brigitta, et je rencontrai encore à plusieurs reprises Gustav, son fils, au cours de visites que nous fîmes ensemble dans le voisinage, avant que n'arrive le jour prévu pour aller voir sa mère.

La veille au soir de ce jour, alors que le grésillement vespéral des grillons aux mille voix de la lande emplissait déjà mes oreilles ensommeillées, je pensais encore à elle. Ensuite, je fis toutes sortes de rêves à son sujet, notamment un dont je ne pus me débarrasser, où je me tenais sur la lande, devant l'étrange cavalière qui à l'époque, m'avait cédé les chevaux, ses beaux yeux m'envoûtaient et je devais rester là debout pour toujours sans plus pouvoir jamais bouger le pied, ni plus pouvoir jamais repartir de cet endroit de la lande. Puis je m'endormis profondément, et me réveillai le lendemain frais et dispos, on nous amena les chevaux et je me réjouis de me retrouver moi aussi en face de celle qui aujourd'hui avait été tant de fois près de moi dans mes rêves.

## PASSÉ DES STEPPES

Avant de raconter comment nous sommes allés à Maroshely, comment j'ai fait la connaissance de Brigitta, et comment je suis assez souvent retourné dans sa propriété, je suis obligé de retracer une partie de sa vie passée, sans laquelle la suite ne serait pas intelligible. Le moyen par lequel j'ai pu arriver à une connaissance si approfondie de l'état des choses qui sont décrites ici, sera la conséquence de mes relations avec le major et Brigitta, et s'éclaircira de lui-même à la fin de l'histoire sans qu'il me soit nécessaire de révéler avant l'heure ce que je n'ai pas non plus appris avant l'heure, mais par le développement naturel des événements.

Dans le genre humain, il y a une chose merveilleuse qui est la beauté. Nous sommes tous emportés par la douceur d'une apparition, mais pas toujours à même de savoir où se loge la grâce. Elle est dans l'univers, elle est dans un regard, et elle ne sera pas forcément dans les traits d'un visage conformes aux canons établis par les gens sensés. Souvent la beauté n'est pas perçue parce qu'elle est dans un désert, ou parce que l'œil qui pourrait l'apprécier ne s'est pas présenté — souvent elle est vénérée et portée aux nues alors qu'elle n'existe pas : mais jamais elle ne doit manquer là où un cœur frémit d'ardeur et de ravissement, ou bien là où deux âmes se consument l'une pour l'autre ; car sans elle le cœur se tait, et l'amour entre les âmes se meurt. De quelle terre cependant jaillit cette fleur, est quelque chose en mille occasions de mille fois différent ; mais si elle existe, lui confisque-t-on toute parcelle fertile, elle surgira quand même dans un autre lieu, là où personne ne l'attendait. Ceci n'est propre qu'à l'être humain et n'ennoblit que l'être humain, afin qu'il tombe à genoux devant elle — et dans la vie, tout ce qui enrichit et glorifie, c'est elle seule qui le répand dans le cœur tremblant, ravi. Il est triste, celui qui ne la possède pas, ou ne la connaît pas, ou bien dont la beauté ne peut trouver de spectateur. Même le cœur de la mère se détourne de l'enfant, lorsqu'elle ne réussit plus à y découvrir ne serait-ce que le moindre reflet de ce rayonnement.

Ce fut ainsi pour Brigitta enfant. A sa naissance, elle ne ressemblait pas au bel ange que l'enfant paraît habituellement être aux yeux de sa mère. Plus tard elle reposait dans son beau berceau doré, son petit visage ingrat, sombre, au milieu du lin blanc comme neige, on aurait pu croire que le souffle d'un mauvais génie avait passé sur elle. La mère, sans s'en apercevoir, détournait son regard et le portait vers les deux beaux petits anges jouant sur le riche tapis. Lorsque venaient des visiteurs, ils ne blâmaient ni ne louaient l'enfant, mais s'enquéraient des sœurs. Elle grandit ainsi. Le père, rentrant de ses affaires, traversait parfois la pièce, et quand la mère prenait de temps en temps les autres enfants sur son cœur avec une fougue en quelque sorte désespérée, elle ne voyait pas l'œil noir de Brigitta s'arrêter sur elle comme

si le tout petit enfant ressentait déjà l'humiliation.
Quand elle pleurait, on satisfaisait à ses besoins ;
ne pleurait-elle pas, on la laissait couchée tranquillement, tous ayant à faire pour eux-mêmes, et elle
fixait de ses grands yeux les dorures de son berceau, ou les torsades de la tapisserie. Quand ses
membres furent plus forts et que sa maison ne se
limita plus à son petit lit étroit, on l'assit dans un
coin, où elle jouait avec des cailloux et inventait
des sons qu'elle n'avait jamais entendus auprès de
personne. Lorsqu'elle progressa dans ses jeux et
fut devenue plus habile, elle roulait souvent de
grands yeux farouches comme le font les garçons
qui nourrissent dans leur for intérieur des inten-
tions troubles. Ses sœurs, elle les frappait quand
elles voulaient se mêler de ses jeux — et si la mère,
alors prise d'un accès de pitié et d'amour à retar-
dement, prenait la petite créature dans ses bras
et la mouillait de ses larmes, celle-ci ne montrait
aucun plaisir mais pleurait au contraire, et s'arra-
chait des mains qui l'enlaçaient. Et la mère fut
d'autant plus aimante et d'autant plus amère à la
fois, parce qu'elle ignorait que les petites racines,
lorsqu'elles avaient cherché le sol chaleureux de

l'amour maternel et ne l'avaient pas trouvé, avaient dû plonger dans les rocailles de son propre cœur et faire face.

Ainsi le désert devint de plus en plus grand.

Lorsque les enfants eurent poussé, et que de beaux vêtements firent leur apparition dans la maison, ceux de Brigitta convenaient toujours, ceux de ses sœurs étaient retravaillés de multiples manières jusqu'à ce qu'ils soient bien ajustés. Aux autres étaient distribuées des règles de conduite et des louanges, à elle, pas le moindre reproche, même si elle avait sali ou froissé sa petite robe. Quand vint l'époque des études et que les heures de la matinée leur étaient consacrées, elle s'asseyait en bas, et de ses fort beaux yeux sombres, son unique beauté, elle regardait fixement le lointain sur le coin du livre ou de la carte de géographie ; et si le professeur lui posait quelque rare et rapide question, elle s'en effrayait et ne trouvait rien à répondre. Mais pendant les longues soirées, ou à d'autres moments, alors qu'on était au salon et que personne n'avait remarqué son absence, elle était allongée par terre sur des livres jetés pêle-mêle ou sur des images et des cartes déchirées

dont les autres ne se servaient plus. Elle devait
ruminer un fantastique monde mutilé au fond de
son cœur. Elle avait, la clé étant toujours sur la
porte, lu presque la moitié des livres de son père,
sans que quiconque ne s'en doutât. Elle ne pouvait
comprendre la plupart d'entre eux. Dans la maison,
on trouvait souvent des papiers sur lesquels étaient
dessinées des choses étranges, confuses, qui devaient être d'elle. — Lorsque les filles furent arri-
vées à l'âge de la puberté, au milieu d'elles, elle ressemblait à une plante sauvage. Ses sœurs étaient
devenues douces et belles, elle, seulement svelte
et vigoureuse. Elle avait dans le corps presque la
force d'un homme, ainsi qu'on pouvait le constater
quand elle repoussait calmement et tranquillement
d'un geste sec, une de ses sœurs qui aurait voulu
badiner avec elle ou lui faire des cajôleries, ou
bien quand elle se plaisait à accomplir de ses
mains un travail de valet, jusqu'à ce que des
gouttes de sueur perlent à son front. Elle n'apprit
pas à faire de la musique, mais elle était bonne
cavalière, aussi intrépide qu'un homme, souvent
elle s'allongeait sur l'herbe du jardin dans sa plus
belle robe, et prononçait à l'intention du feuillage

des buissons des bribes de discours entrecoupés
d'exclamations. C'est à cette époque aussi que son
père se mit à lui faire des remontrances à propos
de sa nature obstinée et silencieuse. Et, alors
qu'elle était justement en train de parler, elle
s'arrêtait brusquement et devenait encore plus
silencieuse et encore plus obstinée. Que sa mère
lui fît des signes et se tordît les mains de désespoir
pour exprimer son agacement, n'y faisait rien. La
jeune fille ne parlait pas. Lorsqu'une fois son père
s'oublia jusqu'à lui infliger un châtiment corporel,
à elle, une adulte, parce qu'elle refusait absolument
d'aller au salon, elle se contenta de le regarder
avec des yeux brûlants, secs, mais ne céda pas, il
aurait pu lui faire ce qu'il voulait.

Si seulement il s'était trouvé quelqu'un
qui eût un regard pour son âme cachée, pour sa
beauté, afin qu'elle ne se méprisât pas. Mais il
n'y eut personne : les autres en étaient incapables,
et elle aussi en était incapable.

Son père habitait la capitale, comme il
l'avait toujours fait, et y menait une vie brillante
et aisée. Lorsque ses filles eurent grandi, la réputation de leur beauté se répandit à travers tout le

pays, elles reçurent beaucoup de visites, et les
réunions et les soirées à la maison se firent encore
plus nombreuses et animées qu'elles ne l'avaient
été jusque-là. Bien des cœurs s'enflammèrent et
aspirèrent à posséder les joyaux que cette maison
abritait — mais les joyaux n'y prirent garde, ou
étaient encore trop jeunes pour comprendre de
tels hommages. Elles se livraient donc d'autant plus
aux divertissements que dispensent de telles soirées, et une toilette ou la préparation d'une fête
pouvaient les préoccuper pendant des jours d'une
façon tout à fait intense et attendrissante. Brigitta,
étant la plus jeune, n'était pas consultée, comme
si elle ne comprenait rien à tout cela. Parfois,
elle paraissait à ces réunions, et elle était toujours
vêtue alors d'une ample robe de soie noire qu'elle
s'était fabriquée elle-même — ou elle évitait celles-
ci, restant pendant ce temps dans sa chambre, sans
que l'on sache à quoi elle s'occupait.

Ainsi passèrent quelques années.

Vers la fin de ces années-là, apparut dans
la capitale un homme qui se fit remarquer dans
les différents milieux de la ville. Il se nommait

Stephan Murai. Son père l'avait élevé à la campagne pour le préparer à la vie. Lorsque son éducation fut achevée, il dut d'abord voyager, avant d'entrer en relation avec la société distinguée de son pays. Ce fut la raison de sa venue dans la capitale. Où il devint bientôt presque l'unique sujet des conversations. Certains louaient son esprit, d'autres ses manières et sa modestie, d'autres encore déclaraient n'avoir jamais vu un aussi bel homme que lui. Plusieurs prétendaient qu'il était un génie, et comme les calomnies et les médisances ne manquaient pas non plus, certains disaient qu'il y avait quelque chose de timide et de sauvage en lui et que l'on voyait bien qu'il avait été élevé dans la forêt. Plus d'un étaient aussi d'avis qu'il avait de l'orgueil, et le cas échéant, certainement même de la duplicité. Bien des cœurs de jeunes filles étaient très impatients de le voir au moins une fois. Le père de Brigitta connaissait la famille du nouveau venu, des années auparavant, lorsqu'il faisait encore des excursions, il avait à plusieurs reprises séjourné dans leurs propriétés, et c'est seulement plus tard, quand il n'avait plus quitté la capitale, alors qu'eux n'y venaient jamais, qu'ils avaient perdu contact. Il se renseigna sur l'état de sa fortune, qui avait été jadis importante, et apprit qu'à présent celle-ci l'était beaucoup plus et augmentait encore, grâce au genre de vie que menait la famille : il pensa que si par ailleurs le caractère de l'homme aussi lui agréait, il pourrait alors offrir le fiancé de ses vœux à l'une de ses filles. Mais comme nombre de pères et de mères pensaient la même chose, le père de Brigitta se hâta de prendre de l'avance sur eux. Il invita le jeune homme chez lui, celui-ci accepta et eut bientôt assisté à plusieurs des soirées de la maison. Brigitta ne l'avait pas vu car justement à cette époque, elle ne se montrait plus au salon depuis déjà un certain temps.

Une fois, elle alla chez son oncle qui avait organisé une sorte de fête et l'y avait invitée. Déjà par le passé, il ne lui déplaisait pas d'aller de temps à autre rendre visite à la famille de son oncle. Ce soir-là, elle était assise dans son habituelle robe de soie noire. Autour de la tête, elle portait une parure qu'elle s'était confectionnée elle-même, et que ses sœurs trouvaient laide. Tout au moins, n'était-il d'usage d'en porter de semblable dans toute la ville, mais elle convenait bien à sa peau brune.

Il y avait beaucoup de monde, et lorsque d'aventure elle regarda à travers un groupe de personnes, elle aperçut deux yeux doux et sombres d'adolescent fixés sur elle. Elle détourna aussitôt les siens. Un moment plus tard, elle regarda à nouveau dans la même direction et elle vit encore les yeux arrêtés sur elle. C'était Stephan Murai qui la contemplait.

Quelque huit jours plus tard, on dansait chez son père. Murai était également invité, il arriva parmi les derniers et alors que la danse avait déjà commencé. Il regarda faire puis, comme on se préparait pour la deuxième danse, il s'approcha de Brigitta, et d'une voix humble, il l'invita à danser. Elle répondit qu'elle n'avait jamais appris. Il s'inclina et retourna se mêler aux spectateurs. Plus tard, on le vit danser, Brigitta s'était assise sur un sofa derrière une table et observait le mouvement. Murai parla à plusieurs jeunes filles, dansa et plaisanta avec elles. Il fut particulièrement gentil et prévenant ce soir-là. Enfin, les divertissements s'achevèrent, la compagnie se dispersa, chacun vers sa demeure. Lorsque Brigitta fut montée dans sa chambre, qu'elle avait obtenu d'occuper seule après force prières et défis à ses parents, et lorsqu'elle se déshabilla, elle lança un regard en passant dans le miroir et vit son front sombre s'y glisser et sa boucle noire comme le corbeau qui s'enroulait autour de son front. Ensuite, elle qui ne souffrait aucune domestique pour s'habiller ou se déshabiller, se dirigea vers son lit, le découvrit elle-même, rejeta le lin blanc comme neige, de sa couche qu'elle voulait toujours très rêche, et s'y allongea, glissant son bras svelte sous sa tête, et laissa errer sur le plafond de la chambre ses yeux sans sommeil.

Par la suite, il y eut souvent des réunions et comme Brigitta assistait à celles-ci, elle fut de nouveau remarquée par Murai, il la saluait avec déférence et quand elle partait, il lui apportait son châle, et dès qu'elle était partie, on entendait rouler en bas sa voiture qui le ramenait chez lui.

Cela dura un certain temps.

Une fois qu'elle se trouvait à nouveau chez son oncle et qu'elle était, à cause de la trop grande

chaleur qui régnait dans la pièce, sortie sur le
balcon dont les portes-fenêtres étaient restées
constamment ouvertes, et que la nuit lourde reposait alentour : elle entendit son pas tout près, puis
le vit dans l'obscurité s'arrêter à côté d'elle. Il ne
disait que des banalités, mais sa voix, si l'on
tendait l'oreille, avait en elle comme quelque chose
de craintif. Il chanta les louanges de la nuit en
disant qu'on la calomniait à tort, elle qui était
pourtant si belle et si douce ; elle seule recouvrait,
apaisait et rassurait le cœur. Puis il se tut, et elle
se tut aussi. Lorsqu'elle retourna dans la salle, il
rentra également et demeura longtemps debout
près d'une fenêtre.

Cette nuit-là, lorsque Brigitta, de retour à
la maison, se fut rendue dans sa chambre et eut
ôté de son corps chaque élément de sa parure
chatoyante l'un après l'autre, elle se plaça devant
le miroir dans sa chemise de nuit et se regarda
longuement, très longuement. Des larmes lui mon-
tèrent aux yeux, qui, loin de se tarir, en firent
surgir et jaillir beaucoup d'autres. Ce fut de toute
sa vie, les premières larmes que versa son âme.
Elle pleurait toujours plus, et de plus en plus fort,

il lui semblait qu'elle allait devoir rattraper toute sa vie perdue et devenir beaucoup plus légère à force de laisser déborder son cœur en pleurant à chaudes larmes. Elle s'était agenouillée comme elle avait l'habitude de le faire assez souvent, et était assise sur ses talons. Gisait par hasard sur le sol à côté d'elle, une petite image, c'était une image pour les enfants, sur laquelle figuraient deux frères dont l'un se sacrifiait pour l'autre. Elle pressa cette petite image sur ses lèvres, laquelle se chiffonna et se mouilla.

Quand enfin le flot de ses larmes eut diminué, et que les bougies furent presque éteintes, elle était toujours assise par terre devant la coiffeuse, comme un enfant pour ainsi dire épuisé par ses pleurs, et elle songeait. Ses mains reposaient sur ses genoux, et les nœuds et la collerette de sa chemise de nuit étaient mouillés et pendaient lamentablement sur sa chaste poitrine. Elle était plus calme et parfaitement immobile. Enfin, elle inspira profondément l'air frais plusieurs fois de suite, s'essuya les cils du plat de la main, et alla au lit. Une fois couchée, alors que la veilleuse, qu'elle avait placée derrière un petit paravent après avoir éteint les bougies, projetait une lumière trouble, elle prononça encore ces mots :

« Ce n'est pas possible, ce n'est pas possible ! »

Puis elle s'endormit.

Désormais, lorsqu'elle rencontrait à nouveau Murai, c'était comme autrefois : il se distinguait seulement un peu des autres, mais excepté cela, il avait un comportement timide, presque timoré. Il parlait à peine avec elle. Quant à elle, elle ne faisait pas un pas vers lui, pas le plus petit.

Lorsque quelque temps plus tard, se présenta à nouveau une occasion de parler seul à seule avec elle, ce dont il avait si souvent autrefois négligé de profiter, il s'enhardit, l'aborda et lui dit qu'il craignait qu'elle ne lui fût hostile — et que s'il en était ainsi, il n'aurait que cette unique prière à lui faire, qu'elle accepte de bien vouloir le connaître, peut-être ne serait-il pas tout à fait indigne de son attention, peut-être avait-il des qualités, ou pourrait-il en acquérir, qui lui gagneraient son estime, il ne désirait rien de manière plus sacrée.

« Je ne vous suis pas hostile, Murai »,

répondit-elle, « oh non, pas hostile ; mais j'ai moi aussi une prière à vous adresser : ne faites pas cela, ne faites pas cela, ne prétendez pas à mes faveurs, vous le regretteriez. »

« Mais pourquoi, Brigitta, pourquoi ? »

« Parce que », répondit-elle à voix basse, « je ne puis exiger qu'un amour extrême. Je sais que je suis laide, et à cause de cela j'exigerai un amour plus grand que ne le ferait la plus belle fille du monde. Grand comment, je ne sais pas, mais il me semble qu'il devrait être sans mesure et sans fin. Voyez-vous — étant donné que cela est impossible, ne prétendez donc pas à mes faveurs. Vous êtes le seul à vous être soucié de savoir si j'avais un cœur moi aussi, je ne puis être fausse avec vous. »

Elle en aurait peut-être dit davantage, s'il n'était arrivé du monde ; mais ses lèvres frémissaient de douleur.

Que le cœur de Murai ne fût pas refroidi par ces mots, mais au contraire s'enflammât d'autant plus, nul ne pouvait en douter. Il l'adorait comme un ange de lumière, il restait à l'écart, ses yeux négligeaient les plus grandes beautés qui

l'entouraient pour chercher les siens en une douce
prière. Il en fut ainsi continuellement, invariable-
ment. En elle aussi commençait désormais à vibrer
l'obscur pouvoir et la grandeur de l'émotion dans
son âme esseulée. Chez tous les deux cela devenait
visible. Leur entourage se mit à soupçonner
l'inconcevable, et s'étonna sans détours. Murai
exposait son âme au vu et au su de tout le monde.
Un jour, dans une pièce isolée, alors que la musique
pour l'audition de laquelle on s'était réuni, retentissait au loin, comme il s'était placé debout devant
elle et se taisait, et qu'il lui avait pris la main,
l'attirant délicatement contre lui, elle ne résista
pas, et comme il inclinait de plus en plus son visage
vers elle et qu'elle sentit brusquement ses lèvres
sur les siennes, elle les pressa doucement à sa
rencontre. Elle n'avait jamais connu de baiser,
puisque même sa mère ni ses sœurs ne l'avaient
jamais embrassée — et Murai, bien des années
plus tard, dira un jour qu'il n'avait jamais éprouvé
une joie aussi pure que naguère lorsqu'il avait
pour la première fois senti ces lèvres délaissées,
vierges, sur sa bouche.

Entre eux, le voile était désormais déchiré,

et le destin suivit son cours. En quelques jours,
Brigitta fut déclarée fiancée à cet homme adulé,
les parents des deux parties avaient consenti.
D'aimables relations s'instaurèrent alors. Du plus
profond du cœur de la jeune fille, une présence
jusque-là ignorée, s'épanouissait chaleureuse,
légère et à peine visible au début, puis de plus en
plus opulente et vive. L'instinct qui avait guidé
cet homme vers cette femme, ne l'avait pas trompé.
Elle était vigoureuse et chaste comme aucune autre
femme. Du fait qu'elle n'avait pas épuisé son
cœur prématurément avec des pensées d'amour et
des rêves d'amour, le souffle d'une vie dans toute
sa puissance pénétrait son âme. Sa fréquentation
aussi était délicieuse, car elle avait toujours été
seule, seule aussi elle avait construit son monde, et
il était introduit dans un règne nouveau, étrange,
qui était le sien à elle. Et comme par la suite, tout
son être se déploya devant lui, il découvrit par-
dessus tout cela, son amour intense et vibrant qui
jaillissait tel un torrent doré sur un rivage riche,
riche mais solitaire aussi; car, alors que le cœur des
autres hommes est partagé en deux univers, le sien
était resté intact, et puisqu'un seul être l'avait

reconnu, il appartenait donc dorénavant à ce seul être. Ainsi, il vécut le temps de ses fiançailles dans la joie et la grandeur.

Le temps aux ailes couleur de rose passa, et avec lui le destin aux bras sombres.

Le jour du mariage arriva enfin. Murai, après que la sainte cérémonie fut achevée, serra dans ses bras son épouse silencieuse sous le porche de l'église, puis la fit monter dans sa voiture et la conduisit au logis qu'il avait fait, selon leur décision de demeurer en ville, magnifiquement et somptueusement aménager grâce à la fortune de son père qui avait mis toutes ses économies à sa disposition. Pour assister au mariage, le père de Murai avait quitté le domaine dont il avait fait, à la campagne, sa résidence principale. Sa mère ne put malheureusement partager sa joie, puisqu'elle était morte depuis longtemps déjà. Du côté de la fiancée, il y eut son père et sa mère, et puis ses sœurs et son oncle, et plusieurs proches parents. Murai, de même que le père de Brigitta, avait voulu que cette fête soit célébrée au grand jour et en grandes pompes, ainsi fut-il donc fait.

Lorsque enfin les derniers invités furent

partis, Murai conduisit son épouse à travers une suite de pièces illuminées, elle qui avait dû jusqu'à présent se contenter d'une seule, et de nouveau la ramena au salon. Là, ils s'assirent encore un moment, et il prononça ces mots : « Comme tout s'est bien et merveilleusement passé, et comme tout s'est admirablement réalisé ! Brigitta ! Je t'ai reconnue la première fois que je t'ai vue, j'ai compris alors que cette femme ne me serait pas indifférente ; mais je ne savais encore pas si j'allais t'aimer infiniment ou te haïr infiniment. Par bonheur, ce qui arriva fut l'amour ! »

Brigitta ne disait rien, elle tenait sa main et promenait ses yeux brillants d'une douce quiétude à travers la pièce.

Puis ils donnèrent l'ordre que l'on débarrasse les reliefs de la fête, et que l'on éteigne toutes les lumières superflues afin que les appartements de gala se transforment en simple logement. Ainsi fut-il fait ; les domestiques se retirèrent dans leurs chambres, et la première nuit tomba sur ce nouveau foyer et cette nouvelle famille qui ne comptait que deux membres et n'avait que quelques heures d'existence.

Ils continuèrent désormais à vivre dans leur logis. Alors qu'au moment de leur rencontre, ils ne s'étaient vus qu'en société, et que pendant le temps de leurs fiançailles ils ne s'étaient montrés qu'en public, maintenant, ils ne quittaient plus leur maison. Ils pensaient n'avoir besoin de rien en dehors de leur bonheur. Bien que leur demeure fût pourvue d'à peu près tout ce qui pouvait s'avérer nécessaire, il restait pourtant encore nombre de détails toujours à améliorer et à embellir. Ils s'y consacrèrent avec ingéniosité, ils imaginèrent ce que l'on pouvait encore installer ici ou là, ils y participèrent l'un et l'autre par tous les moyens, si bien que leur décor s'ordonna de mieux en mieux et de manière de plus en plus dépouillée, et accueillit les visiteurs dans un confort lumineux et une beauté simple.

Au bout d'un an, elle mit au monde un fils, et cette nouvelle merveille la retint encore et davantage à la maison. Brigitta s'occupait de son enfant, Murai vaquait à ses affaires ; étant donné que son père lui avait cédé une partie de ses domaines, il administrait ceux-ci depuis la ville.

Ce qui occasionna maints déplacements et provoqua maintes questions dont on se serait bien passé.

Lorsque le petit garçon fut suffisamment grand et n'eut plus besoin d'être entouré d'autant de soins, lorsque Murai eut mis de l'ordre dans ses affaires et les eut engagées dans un processus régulier, il commença à sortir avec son épouse dans des lieux publics, en société, en promenade, au théâtre, plus souvent qu'il n'avait eu l'habitude de le faire autrefois. Elle remarqua alors qu'il lui témoignait devant le monde encore plus de tendresse et d'attention qu'à la maison.

Elle se dit : « Maintenant, il sait ce qui me manque », et elle réfréna son cœur qui étouffait.

Le printemps suivant, il l'emmena en voyage avec son enfant, et lorsqu'ils rentrèrent, à l'automne, il proposa d'aller, afin de vivre mieux, s'installer à la campagne, sur l'un de ses domaines ; car ce serait en effet beaucoup plus agréable et commode à la campagne qu'en ville.

Brigitta le suivit sur ses terres.

Là, il entreprit de travailler et de faire des aménagements, et le temps qui lui restait, il consacra à la chasse. Et alors, le destin fit venir à sa rencontre une tout autre femme que celle qu'il était accoutumé à voir tous les jours. C'est à l'occasion de l'une de ses chasses solitaires où il se rendait souvent maintenant, au cours desquelles il parcourait la contrée, à pied ou à cheval, seul avec son fusil, qu'il l'avait découverte. Une fois, alors qu'il guidait avec précautions son cheval par une trouée de pâturage légèrement en contrebas, il aperçut tout à coup en face de lui, à travers les buissons épais, deux beaux yeux effrayés pareils à ceux des gazelles des pays lointains, et la plus délicieuse aurore de joues empourprées au milieu des feuilles vertes. Cela ne dura qu'un instant, car avant qu'il n'ait pu s'y arrêter vraiment, l'apparition, qui se tenait à cheval, elle aussi, dans les buissons, avait fait faire volte-face à sa monture et s'était envolée vers la plaine parmi les buissons légers.

C'était Gabriele, la fille d'un comte très âgé qui habitait dans le voisinage, une créature sauvage que son père élevait à la campagne, où il lui laissait toutes les libertés, parce qu'il pensait qu'ainsi seulement elle pourrait s'épanouir selon la nature sans devenir une poupée, ce qu'il ne

supporterait pas. La beauté de cette Gabriele était
déjà célèbre à la ronde, seul Murai n'avait pas
encore eu vent de sa réputation, parce qu'il n'était
jamais venu jusqu'alors sur celui-ci de ses domaines, et avait, ces temps derniers, accompli ce long
voyage.

Quelques jours plus tard, ils se rencontrè-
rent à nouveau, à peu près au même endroit, et
puis encore, et encore plus souvent. Ils ne se
posaient aucune question, ni qui ils étaient, ni d'où
ils venaient, par contre la jeune fille, avec une
insondable candeur, s'amusait, riait, le taquinait
et l'entraînait la plupart du temps dans d'intré-
pides, folles cavalcades où elle volait à ses côtés,
telle une divine énigme, démente, fougueuse. Lui
aussi s'amusait avec elle, et la faisait presque toujours gagner. Mais un jour, alors qu'épuisée, hors
d'haleine, elle n'avait pu lui faire comprendre de
s'arrêter qu'en tirant à coups redoublés sur ses
rênes, et que, lorsqu'il l'avait aidée à descendre
de cheval, elle avait murmuré langoureusement
qu'elle était vaincue — à ce moment-là, après qu'il
eut réparé son étrier où quelque chose s'était
cassé, il la vit se consumer, appuyée contre le tronc

d'un arbre — il l'étreignit brusquement, la serra sur son cœur, et avant qu'il eût pu voir si elle était irritée ou exaltée, il sauta sur son cheval et fila à bride abattue. Il avait agi impétueusement, mais le vertige d'une joie sans borne l'envahissait à cet instant, et pendant sa chevauchée de retour, l'image des joues satinées, du souffle exquis et des yeux scintillants flottait devant son âme.

Ils ne se cherchèrent plus dorénavant, mais lorsqu'une fois ils se croisèrent, par hasard dans le salon d'un voisin, leurs joues à tous les deux s'inondèrent d'un violent rouge écarlate.

Murai partit ensuite dans une de ses propriétés au loin, où il transforma tout ce qu'il y trouva.

Le cœur de Brigitta cependant, n'en pouvait plus. Un monde insondable d'humiliation avait germé dans sa poitrine, tandis qu'elle demeurait silencieuse et qu'elle traversait les pièces de la maison comme un nuage ombrageux. Enfin, elle prit pour ainsi dire, son cœur gonflé, hurlant, dans sa main, et l'écrasa.

Lorsqu'il revint de ses transformations

dans son lointain domaine, elle se rendit dans sa chambre, et avec des mots gentils, lui proposa de divorcer. Il se récria violemment, la supplia, se fit insistant, mais comme elle répétait toujours les mêmes paroles : « Je te l'avais dit que tu allais le regretter, je te l'avais dit que tu allais le regretter » — il bondit, lui prit la main et lui dit d'une voix brûlante : « Femme, je te hais indiciblement, je te hais indiciblement ! »

Elle ne disait rien, et le regardait avec des yeux secs, enflammés — mais lorsque trois jours plus tard il eut fait et expédié ses bagages — lorsque lui-même vers le soir, fut parti sur son cheval, vêtu de son costume de voyage : alors, comme jadis, quand elle criait les poésies de son cœur aux buissons du jardin, maintenant la douleur l'avait abattue sur le tapis de sa chambre et les larmes qui coulaient de ses yeux, étaient si chaudes qu'elles auraient pu consumer le tapis et le parquet — ce furent les dernières qu'elle destina à celui qu'elle aimait toujours passionnément, les dernières larmes. Pendant ce temps, lui, galopait sur la plaine obscure, et cent fois vint à son esprit bouillonnant l'idée de se brûler la cervelle avec

les pistolets accrochés à sa selle. Lors de sa chevauchée, quand il faisait encore jour, il était passé
devant Gabriele qui se tenait debout au balcon
de son château, mais il n'avait pas levé les yeux
et avait poursuivi son chemin. Six mois plus tard,
il fit parvenir son consentement au divorce et
renonça aussi à la garde du petit garçon, pensa-t-il
qu'il serait en de meilleures mains avec elle, ou
bien était-ce encore l'amour d'autrefois qui refusait de tout lui ôter, à elle qui serait à présent bien
seule, alors que lui, le vaste monde s'offrait à ses
yeux. Pour ce qui était de sa fortune, il avait pris
les dispositions les plus favorables envers elle et
le garçon, il avait fait au mieux. Il expédia les
documents relatifs à ces questions en même temps.
Ce fut le premier et le dernier signe que Murai
donna de son existence, il n'y en eut pas d'autre
après, et il ne se manifesta plus. Les sommes
d'argent dont il avait besoin lui étaient versées à
une adresse à Anvers. C'est ce que dit plus tard
son homme d'affaires, lui non plus n'en savait pas
davantage.

A cette époque décédèrent l'un après l'autre, le père de Brigitta, sa mère et ses deux sœurs.

Le père de Murai, qui était déjà âgé, mourut lui aussi peu de temps plus tard.

Ainsi Brigitta se retrouva, au sens strict du terme, absolument seule avec son enfant.

Elle possédait très loin de la capitale, une maison sur une lande déserte, où personne ne la connaissait. Ce domaine s'appelait Maroshely, de là venait également le nom de sa famille. Après son divorce, elle reprit l'usage de son patronyme de Maroshely, et alla se cacher dans sa maison sur la lande.

De même que naguère, elle rejetait après un court moment de plaisir, une belle poupée dont, sans doute par pitié, on lui avait fait cadeau, et mettait de vilains objets dans son petit lit, des pierres, des morceaux de bois et autres objets de ce genre ; de même alors, elle emmena à Maroshely le bien le plus précieux qu'elle eût, son fils, prit soin de lui, le protégea, et n'eut plus qu'un seul et unique regard fixé sur son petit lit.

Lorsqu'il grandit et que ses yeux et son cœur s'ouvrirent, le sien aussi en fit autant ; elle se mit à regarder la lande autour d'elle, et son

esprit entreprit de façonner le désert alentour.
Elle enfila des vêtements d'homme, remonta à
cheval comme jadis au temps de son adolescence
et fit son apparition parmi les fermiers. Dès que le
garçon put se tenir à cheval, il la suivit partout, et
le caractère exigeant de sa mère à l'âme fertile et
entreprenante, s'infiltra tout naturellement en lui.
Cette âme se dépensa tant et plus, les nuées de la
création se répandirent sur elle ; les vertes collines
enflaient, les fontaines ruisselaient, le pampre de
la vigne bruissait, et dans le désert de pierres, on
composa un poème épique qui avançait à pas
puissants. Et la poésie annonçait comme elle le
fait toujours, aussi la prospérité. Beaucoup l'imi-
tèrent, l'association se créa, ceux qui vivaient au
loin furent enthousiasmés, et ici et là, sur la lande
aride et aveugle, s'ouvrit, tel un œil radieux, le
règne d'une humanité libre.

Quinze ans plus tard, pendant lesquels
Brigitta vécut à Maroshely, arriva le major qui
s'installa dans sa résidence campagnarde d'Unwar,
où il n'était jamais venu auparavant. De cette
femme, il apprit, ainsi qu'il me le dit lui-même, à
travailler et agir — et pour cette femme, il eut

cette inclination profonde et tardive, dont nous avons déjà parlé précédemment.

Et maintenant, comme nous l'avons mentionné au début de ce chapitre, que cet épisode de la vie passée de Brigitta a été conté, nous pouvons poursuivre le récit des événements là où nous l'avions laissé.

## PRÉSENT DES STEPPES

Nous nous rendîmes à Maroshely. Brigitta était bien cette cavalière qui m'avait prêté les chevaux. Elle eut un sourire gentil en se souvenant du moment où nous avions fait connaissance. Mes joues s'empourprèrent, lorsque je pensai au pourboire. Il n'y avait pas d'autres visiteurs, hormis le major et moi. Il me présenta comme une relation de voyage, avec qui il serait autrefois resté assez longtemps, et avec qui il se flattait d'être en train de transformer la relation en amitié. J'eus la joie — une joie qui était loin d'être sans importance pour moi — de m'apercevoir qu'elle n'ignorait pratiquement rien de ce qui se rapportait à notre ancienne rencontre, à lui et à moi, qu'il devait avoir raconté beaucoup de choses à mon propos, qu'il aimait encore se remémorer cette époque, et qu'elle avait jugé tout cela digne d'être retenu.

Elle dit qu'elle ne voulait pas me faire visiter son château et ses dépendances, que j'aurais l'occasion de les voir lorsque nous irions nous promener, et quand je viendrai suffisamment souvent d'Unwar, ce à quoi elle m'invita courtoisement.

Au major, elle reprocha de n'être pas passé depuis bien longtemps. Il donna comme excuse de nombreuses affaires, et surtout qu'il ne voulait pas venir sans moi et donc, qu'avant, il fallait qu'il sache dans quelle mesure je pouvais m'accorder ou non avec elle.

Nous allâmes dans une grande salle où nous nous reposâmes un peu. Le major tira de sa poche un écritoire et il lui posa plusieurs questions auxquelles elle fit des réponses claires et précises dont il notait certaines. Puis, elle aussi lui demanda diverses choses qui se référaient à des voisins, aux événements du moment ou à la prochaine session du Parlement régional. Je constatai à cette occasion avec quelle profonde gravité elle traitait ces sujets et le grand cas que le major faisait de ses opinions. Quand elle hésitait sur un point, elle avouait son ignorance et priait le major de l'éclairer.

Après nous être reposés, et quand le major eut rangé son écritoire, nous nous levâmes pour aller faire une promenade dans la propriété. Là, on parla beaucoup des nouveaux aménagements qui avaient vu le jour dans la maison. Quand elle en vint, ce faisant, à parler de sa maison à lui, elle y mit, me sembla-t-il, une sorte de tendresse prouvant à quel point elle se souciait de cela. Elle lui montra le nouveau portique en bois dans le jardin le long de la maison, et lui demanda si elle devait y faire grimper de la vigne ; près des fenêtres en direction de la cour, on pouvait aussi, pensait-elle, ajuster quelque chose où il serait bien agréable de s'asseoir au soleil vers la fin de l'automne. Elle nous emmena dans le parc qui, il y a dix ans, était une forêt de chênes à l'abandon ; à présent, des chemins le traversaient, des sources domestiquées coulaient, des chevreuils y couraient. Elle avait, animée d'une persévérance inouïe, fait ériger contre les loups un haut mur sur le vaste

pourtour de la forêt. Elle avait peu à peu puisé
l'argent nécessaire dans ses troupeaux et ses cultures de maïs dont la valeur n'avait cessé de croître
grâce à ses soins. Lorsque la clôture fut terminée,
on organisa une battue pour explorer systémati-
quement chaque parcelle de tout le parc, à la
recherche d'un loup que l'on aurait enfermé et
qui risquait d'en engendrer d'autres. Mais on n'en
trouva pas. Ce fut seulement à ce moment-là que
l'on fit venir des chevreuils dans l'enceinte et que
l'on prit encore d'autres dispositions. Les chevreuils, semblait-il, avaient compris tout cela et lui
en étaient reconnaissants ; en effet, nous en vîmes
plusieurs au cours de notre promenade, qui fixaient
sans crainte dans notre direction leurs yeux noirs
et brillants. Brigitta se plaisait à conduire ses
hôtes et ses amis dans ce parc parce qu'elle l'aimait
beaucoup. Puis, nous arrivâmes à la faisanderie,
plus haut. Comme nous parcourions ainsi les chemins et que des nuages blancs nous toisaient à
travers la cime des chênes, j'en profitais pour
examiner Brigitta. Il me sembla que ses yeux
étaient encore plus noirs et plus brillants que ceux
des chevreuils, et qu'ils devaient sans doute rayon-

ner d'autant plus lumineusement aujourd'hui, que l'homme qui marchait à ses côtés savait apprécier son travail et son œuvre. Ses dents étaient blanches comme neige, et de sa taille encore souple pour son âge émanait une force indestructible. Comme elle attendait le major, elle avait revêtu un costume féminin, et délaissé ses affaires dans l'intention de nous consacrer sa journée.

En conversant sur des sujets les plus divers, l'avenir du pays, l'avancement et les progrès du peuple, la culture et l'exploitation du sol, l'agencement et la régulation du Danube, les excellentes personnalités des bienfaiteurs de la patrie, nous arpentâmes le parc presque dans son entier, étant donné, comme je l'ai déjà mentionné plus haut, qu'elle ne voulait pas nous conduire sur ses propriétés, mais seulement demeurer en notre compagnie. Lorsque nous retournâmes à la maison, c'était l'heure de manger. Au repas, parut aussi Gustav, le fils de Brigitta, le teint hâlé, un adolescent svelte et gracieux, florissant de santé. Il avait ce jour-là inspecté les champs et distribué le travail à la place de sa mère, et en rendait compte maintenant par quelques mots. A table, il était assis parmi nous et écoutait discrètement ; ses beaux yeux étaient habités d'enthousiasme pour l'avenir, et d'une bonté infinie pour le présent. Du fait qu'ici aussi, comme chez le major, les fermiers mangeaient à la même table que nous, j'eus l'occasion de revoir mon ami Milozs qui me salua en signe de reconnaissance.

La plus grande partie de l'après-midi fut réservée à la visite de plusieurs installations, nouvelles pour le major, à un tour dans le jardin et à une marche à travers les vignes.

Vers le soir, nous fîmes nos adieux. Pendant que nous réunissions nos effets, Brigitta gronda le major d'être récemment rentré à cheval de chez Gömör, très légèrement vêtu dans l'air de la nuit, ne savait-il pas encore combien la rosée de la plaine était redoutable, pour s'y exposer ainsi ? ! Il ne se défendit pas et promit d'être beaucoup plus prudent à l'avenir. Moi, en revanche, je savais pertinemment que ce jour-là il avait forcé Gustav, qui était venu sans, à prendre sa bunda, sous le prétexte mensonger qu'il en avait une autre à l'écurie. Cette fois-ci par contre, nous étions suffisamment nantis et munis de tout le nécessaire pour le départ. Brigitta elle-même veilla à chaque détail et ne rentra dans la maison que lorsque nous fûmes montés à cheval dans nos vêtements chauds et que la lune se levait. Elle donna encore deux ou trois instructions au major et ensuite prit congé avec une simple et noble gentillesse.

Leurs conversations avaient été calmes et sereines toute la journée, mais j'eus l'impression qu'une intensité secrète vibrait entre ces deux êtres, dont ils n'osaient faire étalage, probablement parce qu'ils se trouvaient trop âgés. Au retour, comme je ne pouvais m'empêcher de faire l'éloge vrai et sincère de cette femme, le major me dit : « Mon ami ! J'ai souvent été désiré dans ma vie, je ne sais si l'on m'a aimé autant ; mais la société et l'estime de cette femme sont devenues pour moi un plus grand bonheur en ce monde que tout ce que dans ma vie je prenais pour tel. »

Il avait dit ces mots sans aucune passion, mais avec tant de calme et d'assurance que dans mon cœur, je fus absolument convaincu de la vérité qu'ils contenaient. Je me surpris alors à presque envier le major, ce qui n'est pas mon

habitude, pour cette amitié et pour sa vie séden-
taire ; car à cette époque je ne possédais rien de
tangible sur terre, et je me tenais simplement à
mon bâton de voyageur que je mis bien sûr en
mouvement pour découvrir tel ou tel pays, mais
qui ne sut pourtant pas vraiment tenir ses pro-
messes.

En arrivant à la maison, le major m'offrit
de prolonger mon séjour chez lui cet été et l'hiver
suivant. Il avait commencé à me traiter avec plus
de familiarité et m'avait permis de lire si avant
dans sa vie et dans son cœur, que je me pris d'une
grande affection et d'une grande inclination pour
cet homme. J'acceptai donc. Et cela étant entendu,
il me dit que par conséquent il voulait me charger
aussitôt d'une partie des affaires de sa maison
dont je devrais m'occuper en permanence — ce
que je ne regretterais pas, disait-il, et qui me serait
sûrement très utile pour l'avenir. Je donnai également mon accord, et en effet cela me fut utile.
Si j'ai aujourd'hui un foyer, une gentille épouse à
laquelle je suis dévoué, si je récolte maintenant
dans notre entourage, bienfait sur bienfait, réussite
sur réussite, c'est au major que je le dois. Lors-

qu'enfin je fus partie intégrante de cette harmo-
nieuse activité, je mis tout en œuvre pour la mener
à bien, et à force d'entraînement je l'accomplis
de mieux en mieux, je fus utile et me respectai —
et découvrant les charmes du labeur, je reconnus
combien précieux était ce qui attache à un bonheur
réel en comparaison de ces flâneries que jusqu'alors
j'appelais accumuler des expériences ; et je
m'accoutumais à l'activité.

Le temps s'écoula ainsi, et je me plaisais
énormément à Unwar et dans ses environs.

Ces circonstances me permirent d'aller plus
souvent à Maroshely. On me respectait, j'étais
presque devenu un membre de la famille, de plus
en plus au fait des événements. Il n'y avait pas
trace de passions étranges, de désirs lugubres ou
même de magnétisme, comme je l'avais entendu
dire. En revanche, la relation entre le major et
Brigitta était tout à fait singulière, comme je n'en
avais jamais connues de semblables. C'était sans
conteste, ce que l'on nommerait de l'amour entre
deux personnes du sexe opposé, mais il ne se
montrait pas comme tel. C'est avec une tendresse,
une adoration qui rappelait celle que l'on réserve

à un être supérieur, que le major traitait cette
femme vieillissante ; et elle en était pénétrée d'une
joie intérieure évidente, et cette joie, comme une
fleur tardive, s'épanouissait sur son visage et le
recouvrait d'un souffle de beauté tel qu'on aurait
peine à le croire, et aussi de la rose vigoureuse
de la sérénité et de la santé. Elle rendait à son ami
semblable estime et semblable adoration, même si
parfois s'y glissait une pointe d'inquiétude à propos
de sa santé, de ses petits problèmes dans la vie,
et d'autres choses, ce qui était plus, malgré tout,
un trait féminin et amoureux. Aucun des deux ne
déviait d'un iota de cette conduite — et ainsi ils
continuaient à vivre l'un près de l'autre.

Une fois le major me dit qu'ils avaient
décidé, dans un moment où, ce qui arrive rarement
entre les êtres, ils se confièrent librement, que
l'amitié la plus haute, la sincérité, une aspiration
commune, et la confiance, devaient régner entre
eux, mais rien de plus ; ils voulaient se fixer à cet
autel résolument moral, et vivre heureux peut-être
jusqu'à la fin des temps — ils ne voulaient pas
demander davantage au destin, de peur qu'il ne
montre ses piquants et ne redevienne perfide. Cela

durait déjà ainsi depuis plusieurs années et demeurerait ainsi.

C'est ce que le major me dit — mais quelque temps plus tard, le destin lui-même, sans y avoir été convié, donnait une réponse qui résolut tout de manière rapide et inattendue.

L'automne était déjà assez avancé, on aurait pu se dire au début de l'hiver, un épais brouillard se répandit un jour sur la lande déjà passablement gelée, je passai justement à cheval avec le major sur le chemin fraîchement tracé dans l'allée de jeunes peupliers, nous avions l'intention de chasser un peu, quand nous entendîmes soudain deux coups de feu étouffés par la nappe de brouillard.

« Ce sont mes pistolets, et pas d'autres », s'écria le major.

Avant que je comprisse quoi que ce soit et que je l'interroge, il était déjà parti le long de l'allée d'un galop foudroyant comme jamais je n'avais vu courir un cheval ; me doutant qu'il était arrivé un malheur, je le suivis, et lorsque je le rattrapai, je fus confronté à un spectacle si atroce et si splendide que mon âme encore aujourd'hui en frissonne et s'en exalte : à l'endroit où se dresse le gibet et où brille la rivière aux joncs, le major avait découvert le jeune Gustav qui ne résistait plus que faiblement contre une bande de loups. Il en avait abattu deux, un troisième avait attaqué son cheval qu'il défendait avec son épée et il tentait d'ensorceler momentanément les autres par la fougue avec laquelle il les transperçait de ses yeux brûlants de peur et de rage ; mais ils l'entouraient, impatients et avides, un rien, un revirement, un brusque clignement d'œil pouvait les provoquer à se précipiter sur lui — au moment de cette dernière extrémité, apparut le major. Lorsque j'arrivai, il était déjà dans la mêlée, tel un prodige fatal, tel un météore — l'homme, presque terrifiant, sans égard pour lui-même, presque une bête féroce, tomba sur eux. Je n'avais pas vu de quelle manière il était descendu de cheval, parce que j'étais arrivé trop tard ; j'avais entendu les deux détonations de son pistolet, et quand j'apparus sur les lieux, il avait mis pied à terre, et son couteau de chasse scintillait au-dessus des loups. Trois ou quatre secondes devaient s'être écoulées, je n'eus que le temps de presser la gâchette de mon fusil, et les funestes animaux disparurent dans le brouillard, comme happés par lui.

« Rechargez votre fusil », cria le major, « ils vont revenir tout de suite. » Il avait ramassé les pistolets qui avaient été projetés au loin, et les remplissait violemment de cartouches. Dès que nous eûmes chargé nos armes et un peu calmé nos esprits, nous entendîmes alors la sinistre galopade autour du chêne près du gibet. A coup sûr, les animaux affamés, apeurés, nous encerclaient, attendant que le courage de nous attaquer leur revienne. En vérité, ces animaux sont lâches, s'ils ne sont excités par la faim. Nous n'étions pas équipés pour une chasse au loup, et ce mauvais brouillard se collait à nos yeux ; aussi nous reprîmes le chemin du château. Les chevaux filaient, dans les affres de la mort, et pendant notre course, je vis plusieurs fois à côté de moi l'ombre galopante du troupeau gris dans le gris du brouillard. Avec une ténacité remarquable, le troupeau restait à nos trousses. Nous devions nous tenir en permanence sur le qui-vive. Le major tira une fois, mais nous ne vîmes rien, et sans avoir eu le temps de dire un mot, nous atteignîmes la grille du parc, et les deux beaux dogues racés qui attendaient derrière, lorsque nous y pénétrâmes, s'élancèrent dehors en faisant retentir leur hurlement enragé dans le brouillard, et s'égaillèrent vers la lande sur la piste des loups.

« Tous en selle », s'écria le major aux valets qui se pressaient à notre rencontre, « lâchez tous les chiens-loups, que mes pauvres dogues ne souffrent pas trop. Alertez les voisins et chassez autant de jours qu'il le faudra. J'offre le double de la prime pour chaque loup mort, sans compter ceux qui gisent près du chêne au gibet, car ceux-là, c'est nous qui les avons tués. Près du chêne, se trouve aussi sans doute un des pistolets dont j'avais fait cadeau à Gustav l'année dernière, car il n'en a qu'un dans la main, et à sa selle, l'étui de l'autre est vide ; voyez si vous le trouvez. »

« Depuis cinq ans », dit-il en se tournant vers moi, tandis que nous continuions notre chevauchée à travers le parc, « aucun loup n'avait osé approcher de si près, et l'endroit était relativement sûr pour nous. C'est un signe que l'hiver sera rude, et il a dû dès maintenant commencer dans les régions du nord, pour que déjà ils descendent et se traînent jusqu'ici. »

Les valets avaient entendu les ordres du maître, et en moins de temps qu'il ne m'en fallut pour le croire, une équipe de chasseurs fut prête, avec à leurs côtés cette race de beaux chiens à poils longs, qui est propre aux landes hongroises et leur est tellement indispensable. On débattit sur les moyens à utiliser pour aller chercher les voisins, puis ils partirent entreprendre une chasse dont ils n'allaient pas revenir avant huit ou quinze jours, ou plus.

Nous avions tous les trois assisté, sans descendre de cheval, au spectacle des préparatifs. Cependant, lorsque nous quittâmes les bâtiments de la ferme pour nous rendre au château, nous nous aperçûmes que Gustav était tout de même blessé. En arrivant sous l'arche du portail d'où nous avions l'intention de regagner notre logis, il fut pris d'une faiblesse soudaine et manqua tomber de cheval. Quelqu'un le retint et l'aida à descendre, tandis que nous constations que le dos de la bête était couvert de sang. Nous le transportâmes dans une chambre du rez-de-chaussée donnant sur le jardin, et le major commanda aussitôt d'allumer du feu dans la cheminée et de préparer le lit. Il examina lui-même la blessure, l'endroit douloureux ayant été mis à nu entre-temps. C'était une morsure superficielle dans la cuisse, sans danger, sinon que la perte de sang qu'il avait subie et les émotions qu'il avait vécues faisaient maintenant défaillir l'adolescent. On le mit au lit et l'on envoya immédiatement un messager au médecin et un autre à Brigitta. Le major resta à son chevet et veilla à ce que les évanouissements ne devinssent pas trop fréquents. Quand le médecin arriva, il prescrivit des fortifiants, estima l'accident sans gravité, et déclara même que la perte de sang avait été un bon traitement en soi, car elle avait diminué les effets de l'infection qui en général se développe couramment à la suite de telles morsures. Le seul malaise sérieux pouvait être la violence des émotions, mais quelques jours de repos viendraient définitivement à bout de la fièvre et de la fatigue. Nous étions tous soulagés et ravis, et le médecin prit congé accompagné de nos remerciements ; en effet, il n'y avait personne qui n'aimât le jeune Gustav. Vers le soir, apparut Brigitta, et à sa

manière énergique, elle n'eut ni repos ni trêve
qu'elle n'eût ausculté le corps de son fils des pieds
à la tête, et ne fût convaincue qu'il n'y avait rien,
hormis la morsure, de très menaçant. Après avoir
terminé son examen, elle demeura toutefois assise
à son chevet, et lui fit prendre les médicaments
selon les indications du médecin. Il fallut lui installer un lit de fortune dans la chambre du malade.
Le lendemain matin, elle était de nouveau assise
près du garçon, attentive à sa respiration, car il
dormait, et il dormait délicatement et profondément comme s'il avait voulu ne jamais se réveiller.
— Eut lieu alors une scène bouleversante. Ce jour
est encore devant mes yeux. J'étais venu pour
prendre des nouvelles de la santé de Gustav, et
j'entrai dans la pièce qui se trouvait à côté de la
chambre du malade. Ainsi que je l'ai déjà mentionné, les fenêtres donnaient sur le jardin, les
brouillards s'étaient dissipés et un rouge soleil d'hiver s'infiltrait dans la pièce à travers les branches
dénudées. Le major était déjà là, il se tenait près de
la fenêtre, le visage tourné contre le verre, comme
s'il regardait dehors. Dans la chambre du malade,
dont la fenêtre était voilée de fins rideaux, j'aperçus

115

par la porte Brigitta assise qui contemplait son fils. Soudain un soupir de joie s'échappa de ses lèvres, je l'observai plus précisément et vis que ses yeux s'attardaient avec douceur sur le visage du garçon qui venait d'ouvrir les siens ; il s'était réveillé d'un long sommeil et regardait sereinement autour de lui. Mais en même temps j'entendis un petit bruit provenant de l'endroit où se tenait le major, je dirigeai mes yeux vers lui et je vis qu'il s'était à demi retourné et que dans ses cils étaient accrochées deux perles de larmes. Je m'approchai et lui demandai ce qui était arrivé. Il répondit à voix basse : « Je n'ai pas d'enfant ».

Brigitta avait dû entendre ces paroles, elle avait l'oreille fine ; elle parut aussitôt sur le pas de la porte, et lança à mon ami un regard égaré, que je ne puis décrire, et qui n'osait pour ainsi dire, dans l'angoisse de son cœur, exprimer aucune prière, elle ne dit qu'un seul mot : « Stephan ».

Le major se retourna — tous les deux se fixèrent une seconde — une seconde seulement — puis il fit un pas vers elle et tomba dans ses bras qui l'enlacèrent avec une véhémence effrénée. Je n'entendis plus que les faibles et graves sanglots

de l'homme, la femme l'étreignit alors plus forte-
ment, le serrant de plus en plus contre elle.

« A partir d'aujourd'hui, Brigitta, plus de
séparation, maintenant et pour toujours. »

« Jamais, mon aimé ! »

J'étais fort gêné et voulus m'en aller discrètement ; mais elle releva la tête et dit : « Restez,
restez ».

Cette femme que j'avais toujours vue
sérieuse et sévère, avait pleuré sur son épaule.
Elle leva les yeux encore luisants de larmes —
et si magnifique est le pardon, la plus belle chose
que l'homme défaillant puisse donner ici-bas, que
les traits de son visage rayonnèrent d'une beauté
ineffable, et que mon âme fut baignée d'une profonde émotion.

« Ma pauvre, ma pauvre épouse », dit-il,
le cœur serré, « quinze ans j'ai été privé de toi,
et quinze ans tu as été sacrifiée. »

Mais elle joignit les mains et le regardant
dans les yeux, elle dit d'un air suppliant : « J'ai
failli, pardonne-moi, Stephan, j'ai succombé au
péché d'orgueil — je ne soupçonnais pas à quel

point tu étais bon — cela n'a été qu'un élan, la douce loi de la beauté qui nous emporte. »

Il eut un geste pour lui fermer la bouche, et dit : « Comment peux-tu parler ainsi, Brigitta — oui, c'est bien la loi de la beauté qui nous emporte, mais j'ai dû errer dans le monde entier avant de comprendre qu'elle se trouve au fond du cœur, et que je l'avais abandonnée chez moi dans un cœur solide et fidèle qui ne me voulait que du bien, que je croyais perdu, et qui a pourtant traversé toutes ces années et tous ces pays avec moi. O Brigitta, mère de mon enfant, tu étais jour et nuit devant mes yeux. »

« Tu ne m'avais pas perdue », répondit-elle, « j'ai vécu ces tristes années dans les regrets. Comme tu es devenu bon, maintenant je te connais, comme tu es devenu bon, Stephan ! »

Et ils se précipitèrent encore dans les bras l'un de l'autre, comme s'ils ne pouvaient s'en rassasier, comme s'ils ne pouvaient croire à ce bonheur reconquis. Ils étaient comme deux êtres que l'on a soulagés d'un grand poids. Tout leur était possible à nouveau. La joie qui était en eux était celle que l'on trouve auprès des enfants, —

à cet instant ils étaient aussi innocents que des enfants ; car la fleur de l'amour la plus purifiante, la plus belle, mais seulement de l'amour le plus haut, est le pardon, et c'est pourquoi on le trouve aussi auprès de Dieu et auprès des mères. Les belles âmes pardonnent souvent — les mauvaises, jamais.

Les deux époux m'avaient entre-temps oublié, ils se tournèrent vers la chambre du malade, où Gustav, qui se doutait obscurément de tout, reposait telle une rose brûlante, florissante, et les guettait impatiemment.

« Gustav, Gustav, c'est ton père et tu ne le savais pas », s'écria Brigitta, passant le seuil de la chambre assombrie.

Moi, en revanche, je sortis dans le jardin, et pensai : « O combien sacré, combien sacré doit être l'amour entre les époux, et combien pauvre es-tu, toi qui n'as rien connu de lui jusqu'à présent, et qui n'as laissé que la flamme terne de la passion s'emparer de ton cœur ! »

Plus tard seulement, je rentrai au château, où je ne rencontrai qu'air frais et détente. L'allégresse, tel un gai soleil, soufflait dans toutes les

119

pièces. On me reçut à bras ouverts, comme le témoin de la plus belle scène. On m'avait déjà fait chercher partout, depuis que je m'étais effacé, au moment où leurs yeux n'avaient plus été préoccupés que d'eux-mêmes. Ils me racontèrent, en partie tout de suite, avec des phrases décousues, en partie dans les jours qui suivirent, d'une façon plus cohérente, tout ce qui s'était passé et que j'ai mentionné précédemment.

Mon compagnon de voyage était donc Stephan Murai. Il avait voyagé sous l'identité de Bathori, du nom de l'un de ses ancêtres féminins. C'est ainsi que je l'avais connu, mais il se faisait toujours appeler major, titre qu'il avait acquis en Espagne, et effectivement tout le monde l'appelait le major. Lorsqu'il eut visité le monde entier, il alla, emporté par une voix intérieure, sous ce nom, rejoindre sa résidence abandonnée d'Unwar, où il n'était jamais venu, où personne ne le connaissait et où il savait pertinemment qu'il deviendrait le voisin de son ancienne épouse. Cependant, il ne vint pas la voir, elle qui gouvernait déjà Maroshely depuis longtemps, avant qu'il n'eût connaissance de la nouvelle qu'elle était à l'article de la mort.

A ce moment-là, il se mit en route, alla chez elle, s'approcha d'elle, qui, en proie à la fièvre, ne le reconnut pas, demeura nuit et jour à son chevet, la veilla et la soigna jusqu'à ce qu'elle fût guérie. Puis, émus par leur contemplation mutuelle, et guidés par un amour subtil mais néanmoins timide face à l'avenir, puisqu'ils ne se connaissaient pas et que quelque chose de terrible aurait pu encore survenir, ils conclurent cet étrange contrat d'une simple amitié, qu'ils respectèrent pendant des années et auquel ni l'un ni l'autre n'osa toucher le premier, jusqu'à ce que le destin le rompe en tranchant net dans le cœur de chacun et les réunisse pour une alliance plus belle et plus naturelle.

Tout était bien désormais.

Quinze jours plus tard, la nouvelle fut rendue publique, et de près comme de loin arrivèrent les fastidieuses félicitations.

Quant à moi, je demeurai encore jusqu'à la fin de l'hiver chez eux, c'est-à-dire à Maroshely, où tous habitaient provisoirement, et d'où le major avait résolu de ne jamais éloigner Brigitta, parce qu'elle y régnait au sein de son œuvre. Le plus heureux fut certainement Gustav, qui avait tou-

jours été très lié au major, et l'avait toujours consi-
déré de façon passionnée et exclusive comme
l'homme le plus merveilleux du monde, et qui avait
désormais le droit d'adorer un père auquel son
œil s'attachait comme à un dieu.

J'ai connu cet hiver-là, deux cœurs qui
purent alors faire éclore la fleur, même tardive,
du bonheur.

Je n'oublierai jamais ces cœurs, jamais !

Au printemps, je repris mon habit allemand, mon bâton allemand, et entrepris de regagner ma terre allemande. Sur le chemin du retour,
je vis le tombeau de Gabriele qui était morte
douze ans auparavant, au faîte de sa beauté juvé-
nile. Sur le marbre, se dressaient deux grands lis
blancs.

Avec de sombres et douces pensées, je
continuai ma route jusqu'à ce que la Leitha fût
traversée et que les gracieuses montagnes bleues
de mon pays s'esquissent devant mes yeux.

IMPRIMERIE BRODARD ET TAUPIN À LA FLÈCHE
DÉPÔT LÉGAL MAI 1992. N° 12978 (6127F-5)

# Collection Points

## SÉRIE ROMAN

DERNIERS TITRES PARUS